orte-KRIMIreihe

Herausgegeben von Annemarie Bänziger

Augusto Vassalli

Generalsjagd

Kriminalroman

orte-Verlag

Postfach 2028, 8033 Zürich

Titelfoto: Paolo Pedrazzi
Autorenfoto: Willi Schur
Druck: Fuldaer Verlagsanstalt, Fulda
Printed in Germany
ISBN 3-85830-046-2

I

Er stammelte noch einige hastige Worte in die Sprechmuschel, dann trat er aus der Telefonzelle und setzte seinen Weg durch die Nacht fort, schwitzend, noch immer am ganzen Körper zitternd, die Schreie der Verwundeten und Sterbenden in den Ohren. Er würde wohl nie erfahren, wer sie verraten hatte, denn für ihn galt es jetzt, sich selbst in Sicherheit zu bringen. Er durfte nicht zu seiner Frau und den Kindern zurück, ja, es war ungewiss, ob er sie überhaupt jemals wiedersehen würde. Seine einzige Hoffnung lag bei Padre Ignacio, dem Pfarrer, den er soeben mit seinen letzten Münzen angerufen hatte. Schweiss und Tränen brannten in seinen Augen. Wenn er in seine Wohnung zurückkehrte, war alles zu Ende. Sicher hatten sie Namenslisten und suchten ihn bereits. Hoffentlich war der Padre schneller, hoffentlich konnte er Yaya und die Kinder wegbringen, bevor die Soldaten eintrafen. Was würden die sonst mit ihnen machen! Nicht daran denken, hämmerte es in seinem Hirn, verdammt, nicht daran denken, sonst wirst du verrückt . . . !

Er kämpfte gegen die Furcht an, die ihn von innen aufzufressen drohte, biss, um ein Schluchzen zu unterdrücken, auf die Zähne, so dass die Backenmuskeln stark hervortraten. Ein Polizeifahrzeug fuhr vorbei, und um ein Haar hätte er die Nerven verloren und wäre losgerannt. Ruhig, beweg dich gelassen, als ob nichts wäre. Nicht zu schnell, um nicht die Aufmerksamkeit einer Patrouille auf dich zu ziehen. Er zwang sich, langsam zu gehen, als er in die breite, stark belebte Avenida de la Libertad einbog, doch der Asphalt brannte unter seinen Füssen. Die nächste Querstrasse, der Camino de Gracia, war sein Ziel, dort hoffte er Schutz zu finden. Er hatte keine Augen für die hell erleuchteten Schaufenster der Boutiquen, für die Cafés und Restaurants, für die im Licht der Strassenbeleuchtung glänzenden Luxusautos und den dazugehörigen gutgekleideten Männern und eleganten Frauen. Als er den Camino erreichte, konnte er dem Drang, zu rennen, nicht mehr widerstehen.

Obwohl spät abends, lag noch immer eine stickig-heisse Treibhausatmosphäre über Resistencia, der Hauptstadt des kleinen südamerikanischen Staates El Luchador. In seinem Büro im ersten Stock der Schweizer Botschaft legte Paul Widmer den Kugelschreiber aus der Hand und lehnte sich in seinem Stuhl zurück. Sein kurzärmeliges, weisses Hemd hatte dunkle Flecken unter den Achseln und klebte ihm am Körper. Die Klimaanlage war am Nachmittag ausgefallen und konnte erst am nächsten Morgen repariert werden. Mit spitzen Fingern fischte Widmer zwei Papiertaschentücher aus einer Schachtel auf dem Schreibtisch, wischte sich damit den Schweiss von Gesicht und Hals und drückte sie zu einem kleinen, feuchten Ball zusammen, den er in den bereits mit Dutzenden klebriger Papierbällchen gefüllten Abfallkorb warf.

Seine Armbanduhr zeigte halb elf. Es geschah nicht oft, dass er nach Büroschluss weiterarbeiten musste. Doch nun war der Bericht, welcher ihn über die normale Geschäftszeit hinaus beschäftigt hatte, endlich fertig. Morgen konnte er von der Sekretärin abgetippt, vom Botschafter signiert und der Kurierpost nach Bern beigelegt werden.

Widmer war sechsunddreissig Jahre alt, von mittlerer Statur, mit braunem Haar, das er links gescheitelt und der Hitze wegen sehr kurzgeschnitten trug. Er war in Bern aufgewachsen, und der Gedanke an die Kurierpost erinnerte ihn daran, dass er selbst in weniger als einem Monat nach Hause zurückkehren würde. Während ihm erneut der

Schweiss von der Stirn lief, dachte er mit Sehnsucht an die Kälte des Schweizer Winters und freute sich darauf, künftig zur Weihnachts- und Neujahrszeit wieder im schweren Mantel und in Schuhen mit dicken Gummisohlen durch die schneebedeckten Strassen seiner Heimatstadt zu spazieren. Der Entschluss, den Diplomatischen Dienst, in den er nach Abschluss des Rechtsstudiums eingetreten war, zu quittieren, war ihm nicht schwer gefallen. Nach zehnjähriger Tätigkeit auf Schweizer Botschaften in verschiedenen Ländern sehnte er sich, des Reisens müde, nach einem permanenten Wohnsitz und danach, seine alten Freunde öfters als bloss einmal im Jahr, während des Heimaturlaubes, zu sehen. Er besass etwas Erspartes und hielt sich für jung genug, um an eine zweite Karriere zu denken. Deshalb hatte er das Angebot seines älteren Bruders, als Partner in dessen Anwaltsbüro in Bern einzusteigen, ohne langes Zögern angenommen.

Er erhob sich und trat ans Fenster, das er trotz der abgestandenen Luft im Raum zum Schutz vor den Moskitos den ganzen Abend zugelassen hatte. Als er es nun öffnete, schossen die Mücken an ihm vorbei und begannen ihren wilden, selbstzerstörerischen Tanz um die Deckenlampe. Er beugte sich ein wenig hinaus und stützte sich dabei mit den Händen auf die sandsteinerne Brüstung. Am frühen Abend war, wie jeden Tag, der für diese Gegend typische Gussregen gefallen, und nun roch die feuchte Luft nach dem dampfenden Gras, welches das Haus umgab. Obwohl Widmer diesen Geruch liebte, den er nun in tiefen Atemzügen in sich einsog, litt auch er unter dem feucht-heissen Klima, das in den Regenmonaten auf die Gemüter der Menschen in diesem Land drückte.

Die Schweizer Botschaft befand sich in einer ehemaligen Villa am Camino de Gracia, einer ruhigen Seitenstrasse der prächtigen Avenida de la Libertad. Die kleine Grünfläche, in der das Haus stand, wurde durch eine mannshohe Mauer von der Strasse und den Nachbargrundstücken getrennt. Der Hauseingang befand sich auf der linken Seite des Gebäudes. Widmer schaute die Strasse hinauf, an den etwas zurückversetzten Häusern mit ihren kleinen, von Mauern oder hohen Hecken geschützten Vorgärten vorbei, zu dem fernen Punkt, wo der Camino und die Avenida sich kreuzten. Der Verkehrslärm der Avenida drang als leises, monotones Geräusch zu ihm, und er konnte die hin- und herflitzenden Lichter der Fahrzeuge erkennen. Der Camino de Gracia selbst lag wie ausgestorben. Fussgänger gab es so spät am Abend keine mehr, und der motorisierte Privatverkehr beschränkte sich auf vereinzelte Autos. Dafür fuhren hier noch öfters als in den anderen Stadtteilen regelmässig die schwerbewaffneten Jeeps der Militärpatrouillen vorbei, um – so die offizielle Erklärung – die Angehörigen der zahlreichen Botschaften und Konsulate in dieser Gegend vor Angriffen von Terroristen und Rebellen zu schützen.

Im Süden erhob sich die Bergkette der *Ondulados,* welche das tropische Tiefland von den höhergelegenen, kühleren Regionen trennte, als dunkle Masse in den nächtlichen Himmel, gleich einer gewaltigen, die Stadt bedrohenden Flutwelle.

Nach einer Weile richtete sich Widmer auf, um das Fenster zu schliessen, und sein Blick streifte noch einmal die ferne Kreuzung. Im Schein der Strassenbeleuchtung war undeutlich eine Gestalt zu erkennen, welche, von der Kreuzung kommend, die Strasse hinunterhuschte. Im nächsten Augenblick jedoch war sie im Dunkeln verschwunden. Widmer verharrte in halb aufgerichteter Stellung und starrte angestrengt in Richtung Avenida. Während mehr als einer Minute wartete er in gespannter Aufmerksamkeit. Nächtliche Fussgänger in dieser Strasse bedeuteten ein Alarmzeichen.

Für wenige Sekunden kam die Gestalt wieder ins Licht. Es war ein Mann, und er lief offenbar, so schnell er konnte. Er hatte nun beinahe die Hälfte der Strecke von der Kreuzung bis zur Botschaft hinter sich. Eine beunruhigende Vorahnung beschlich Widmer. Erneut tauchte der Mann im Lichtkegel einer Strassenlaterne auf, blieb plötzlich stehen, aus Erschöpfung oder aus Unschlüssigkeit, und schaute über die Schulter zurück, um gleich darauf seinen Blick zum einzigen erleuchteten Fenster in diesem Teil des Camino zu heben. Widmer rührte sich noch immer nicht. Einen Augenblick lang fixierten sie sich über die Strasse hinweg, zwischen ihnen lagen noch etwa hundert Meter. Der Mann setzte sich wieder in Bewegung und begann, die Strasse diagonal in Richtung Botschaftsgebäude zu überqueren. Widmer sandte einen letzten Blick zur Kreuzung und erkannte die Konturen eines Militärjeeps, der soeben in den Camino de Gracia einbog. Da kam endlich Leben in ihn. Er stiess sich vom Fenster ab, eilte aus dem Büro, und während er die Treppe hinunterrannte, dachte er an die Patrouille. Die Soldaten mussten den Mann gesehen haben . . .

Er hörte die trockenen Staccati des Maschinengewehres, als er aus dem Haus und auf das Eisentor zustürzte. Der Mann versuchte gerade unter grosser Anstrengung, sich am Tor hochzuziehen, um darüber hinwegzuklettern, doch als er Widmer kommen sah, liess er sich auf seine Füsse zurückfallen. Mit beiden Händen die dicken Eisenstäbe umklammernd, die ihm den Weg zur Rettung versperrten, schaute er Widmer flehend entgegen.

„*De prisa, por Dios, señor, dése prisa!* . . . “ keuchte er. – „Schnell, um Gottes willen, Herr, machen Sie schnell!“

Widmer hatte im Laufen den Schlüsselbund aus seiner Hosentasche gezogen. Jetzt war er beim Tor. Seine Hand zitterte, als er den Schlüssel ins Schloss steckte und drehte.

Der Motor des Jeep heulte auf. Dann wieder ein MG-Salve. Die Kugeln schlugen in die Mauer neben dem Tor. Der angsterfüllte Blick des Verfolgten hetzte zwischen Widmer und dem sich schnell nähernden Fahrzeug hin und her. Das Schloss war geöffnet. Noch einmal feuerte das Maschinengewehr, der Mann schrie, Widmer riss das Tor auf und der von mehreren Kugeln Getroffene fiel ihm schwer in die Arme. Widmer schleifte ihn, so schnell er konnte, zum Hauseingang. Während er ihn unter Aufbietung all seiner Kräfte die drei Steinstufen hinauf in die Eingangshalle schleppte, hörte er draussen den Jeep hart bremsen, und gleich darauf das Scharren von Militärstiefeln, als die Soldaten von ihrem Fahrzeug auf die Strasse sprangen. Eine Stimme bellte Befehle.

Er liess den vor Schmerzen laut Stöhnenden so sanft, wie es seine Hast erlaubte, zu Boden gleiten und verriegelte die Tür. Dann blieb er einen Augenblick lang stehen und lauschte, schweissgebadet, vor Aufregung zitternd und nach Atem ringend. Die Einfahrt war noch offen, ausserdem wusste er, dass man sich in diesem Land nicht mehr bedenkenlos auf das internationale Abkommen verlassen konnte, wonach eine ausländische Botschaft exterritoriales Gelände war und weder von Armee- noch von Polizeiangehörigen des Gastgeberlandes betreten werden durfte. Die Erinnerung an einen der schwärzesten Tage der internationalen Diplomatie durchzuckte ihn. Ein halbes Jahr war es her. Sechsunddreissig Luchadorianer, Mitglieder einer an die Polizei verratenen, illegalen Oppositionspartei, waren in die spanische Botschaft geflohen. Die Regierung machte kurzen Prozess und liess das Botschaftsgebäude von Soldaten mit Schnellfeuergewehren und Handgranaten stürmen, wobei fünfundzwanzig Flüchtlinge und ein Botschaftsangehöriger den Tod fanden. Spanien brach daraufhin sofort alle Beziehungen zu El Luchador ab.

Draussen war es still geworden. Die Patrouille begnügte sich vorläufig damit, das Haus von der Strasse aus zu beobachten.

Das keuchende Stöhnen hatte aufgehört; der Verwundete war ohnmächtig geworden. Verstört starrte Widmer auf den leblosen Körper zu seinen Füssen. Der Mann verblutete langsam. Seine Beine waren völlig zerschossen, das aus zahlreichen Wunden fliessende Blut durchtränkte die von Kugeln zerfetzte Hose und sammelte sich auf den hellen, mit einem alten indianischen Muster verzierten Fliesen in kleinen, roten Lachen, die langsam grösser wurden und ineinanderflossen. Widmer holte eiligst eine Rolle starken Verbandstoff aus der Hausapotheke und band dem Ohnmächtigen unterhalb des Rumpfes die Beine ab. Dann legte er ihm ein Kissen unter den Kopf. Mehr konnte er im Augenblick nicht für ihn tun. Vom Empfangspult aus rief er den Vertrauensarzt der Botschaft, Doktor Iglesias, an.

„Ich mache mich sogleich auf den Weg zu Ihnen", sagte dieser, nachdem ihm Widmer in knappen Worten das Geschehene geschildert hatte. „Rufen Sie auf jeden Fall einen Krankenwagen. Der Mann muss sofort ins Spital gebracht und operiert werden."

„Dann kann ich ihn ja gleich den Soldaten draussen übergeben", sagte Widmer sarkastisch.

„Ich bin kein Chirurg", erwiderte eindringlich der Arzt, eine direkte Antwort auf Widmers Bemerkung vermeidend. „Wenn Sie ihn bei sich behalten, stirbt er auf jeden Fall."

Nachdem sie aufgelegt hatten, suchte Widmer die Nummer eines Krankentransportunternehmens aus einem Verzeichnis und rief an. Man werde eine Ambulanz losschicken, wurde ihm versichert. Der dritte Anruf galt seinem Vorgesetzten, Doktor Ulrich Heimgartner, Botschafter der Schweizerischen Eidgenossenschaft.

„Ich komme", sagte dieser bloss und legte auf.

Widmer, der sich inzwischen etwas beruhigt hatte, ging zum Fenster, schob den schweren Vorhang zur Seite und lugte durch den Spalt. Der Armeejeep stand im Schein der Strassenbeleuchtung vor der halboffenen Einfahrt, und ein Soldat hielt das im Heck aufmontierte Maschinengewehr auf das Haus gerichtet. Ein zweiter Soldat stand mit geschulterter Schusswaffe direkt beim Tor, die eine Hand am Gewehrriemen, die andere in die Hüfte gestemmt, und beobachtete ebenfalls das Botschaftsgebäude. Ein weiterer Mann, offenbar der Gruppenführer, stand beim Beifahrersitz an das Fahrzeug angelehnt und sprach in ein Funktelefon, während sein Gesicht dem Haus zugewandt war. Widmer konnte ihre Augen im Schatten der matt glänzenden Stahlhelme nicht sehen, doch er hatte das bedrückende Gefühl, als fixierten sie ihn drohend durch den schmalen Vorhangspalt. Der Lauf des Maschinengewehres schien direkt auf ihn zu zielen, und er unterdrückte mühsam den unwillkürlichen Drang, sich wegzuducken. Da eine Jeepbesatzung erfahrungsgemäss aus vier Mann bestand, vermutete er, dass sich draussen, durch die Mauer seinen Blicken entzogen, noch ein Soldat aufhielt.

Er ging zum Verwundeten zurück, kauerte neben ihm nieder und musterte ihn besorgt. Wenn der Unglückliche nicht innerhalb kürzester Zeit eine Bluttransfusion erhielt, würde er die Nacht nicht überleben. Sein Atem ging nur noch schwach, kaum wahrnehmbar. Er mochte ungefähr fünfunddreissig Jahre alt sein, vielleicht aber auch viel jünger. Das feuchte, heisse Klima verbrauchte die Menschen frühzeitig. Das runde Gesicht mit den hochstehenden Backenknochen, schweissbedeckt und trotz der dunklen Haut jetzt gelblich fahl, verriet ebenso wie das gerade, tiefschwarze Haar seine indianische Abstammung. Die Brusttasche seines buntkarierten Baumwollhemdes war leicht gewölbt. Widmer fuhr mit zwei Fingern hinein und zog eine angebrochen Packung Zigaretten und einen Personalausweis heraus. Die Zigaretten waren von der Marke *Estrella*, die billigste Sorte. Der Ausweis enthielt ein Foto des Verwundeten, daneben einige Angaben zur Person: Carlos Minga, achtundzwanzig Jahre alt, ohne Beruf, wohnhaft in der Calle Berenson 64, in Resistencia. Widmer hielt den Ausweis unschlüssig zwischen Daumen und Zeigfinger. Schliesslich erhob er sich, ging zum Empfangspult und schrieb Mingas Personalien auf ein Blatt Papier ab, das er zusammenfaltete und einsteckte. Er ging zum Ohnmächtigen zurück und schob ihm den Ausweis samt Zigaretten wieder in die Hemdtasche.

Als er draussen einen Wagen hörte, trat er rasch ans Fenster. Vorerst konnte er nur den Militärjeep und die Soldaten ausmachen, doch dann trat ein Mann in heller Hose und weissem Hemd in sein Blickfeld: Doktor Iglesias wollte mit seiner Arzttasche eiligen Schrittes am Jeep vorbei durch die Einfahrt gehen, doch der Korporal stellte sich ihm in den Weg. Widmer beobachtete, wie der Arzt sich ausweisen musste und der Unteroffizier ihn daraufhin mit Worten und eindeutigen Gesten aufforderte, sich zu entfernen. Er fühlte, dass es nun an ihm lag, etwas zu unternehmen. Seine Angst hinunterkämpfend, ging er zur Tür, entriegelte sie und trat hinaus, nicht ohne dabei ein stilles Stossgebet zum Himmel zu senden.

Als er auf das Tor zuging, um mit dem Patrouillenführer zu sprechen, trafen gleichzeitig auch der Botschafter und die Ambulanz ein. Heimgartner parkte seinen Mercedes am Strassenrand und stieg aus. Er war schlank, Mitte Fünfzig, mit vollem, dunklem Haar, und trug einen leichten Leinenanzug über einem gestreiften Hemd mit offenem Kragen. Ein Soldat erwartete ihn, das Gewehr locker in der Armbeuge haltend, und verlangte seinen Ausweis zu sehen.

Der Schweizer Regierungsvertreter verzichtete darauf, ihn auf das *CD*-Schild an seinem Wagen aufmerksam zu machen, das auf seine Zugehörigkeit zum Diplomatischen Korps hinwies, und kam der Aufforderung schweigend nach. Der Patrouillenführer trat hinzu, sah sich den Diplomatenpass an und gab ihn seinem Besitzer zurück. Während Heimgartner zum Tor ging, wo Widmer und Iglesias standen – ein Soldat, beide Hände am Gewehr, versperrte dem Arzt den Zugang zum Botschaftsgelände –, kamen die zwei Sanitäter mit einer Bahre heran. Mit Mienen, denen ihr Unbehagen angesichts der unheildrohenden Szene deutlich abzulesen war, drückten sie sich an den provokativ im Weg stehenden Soldaten vorbei. Während Widmer ihnen voraus ins Haus eilte, wandte sich der Botschafter, der die Situation mit einem Blick erfasst hatte, an den Unteroffizier:

„*Caporal*, ich protestiere dagegen, dass Sie einem Arzt den Zugang zur Botschaft verweigern und ihn daran hindern, einem Verletzten erste Hilfe zu leisten!"

Der Korporal hatte sich breitbeinig in die Einfahrt gestellt, beide Daumen in seinen Ledergurt gehackt, und schaute zum Hauseingang hinüber.

„Der Kerl ist ein Staatsfeind", antwortete er kaltschnäuzig, ohne seinen Blick vom Haus zu nehmen.

„Wieso? Was hat er verbrochen?"

„Das wissen wir noch nicht, doch wenn er unschuldig wäre, hätte er nicht zu fliehen brauchen. Wahrscheinlich ist er ein Rebell, ein Kommunist. Ein Mann, der nichts zu verbergen hat, muss sich doch nicht in einer ausländischen Botschaft verkriechen! Wir werden schon herausfinden, was er ausgefressen hat."

Die Sanitäter, gefolgt von Widmer, brachten Minga auf ihrer Bahre aus dem Haus. Als sie beim Korporal vorbei wollten, hielt dieser den vorderen der beiden mit hartem Griff am Arm fest und sagte schneidend:

„Bringt ihn zum *Campo Central*! Wir folgen euch, verstanden?!"

Sie nickten beklommen und eilten, als der Unteroffizier seine Hand zurückgezogen hatte, mit ihrer blutigen Last zu ihrem Fahrzeug, froh, nur schon einige Meter zwischen sich und die Soldaten legen zu können. Soldaten flössten Furcht ein. Ihren Befehlen gehorchte man, ohne zu antworten oder gar Fragen zu stellen.

Heimgartner wandte sich mit unverhohlener Empörung erneut an den Unteroffizier. Sein ausgestreckter Arm zeigte auf den Krankenwagen. „*Caporal*, der Verwundete braucht dringend ärztliche Hilfe. Ich verlange – "

„Ich habe Befehl, ihn zum *Campo Central* zu bringen!" unterbrach ihn der Korporal unbeeindruckt. „Die haben dort ja auch einen Arzt."

Er liess den Botschafter stehen und drehte sich, seinen Männern einen Befehl zurufend, brüsk zum Jeep um. Die Soldaten schwangen sich auf ihre Sitze, während der Mann am Maschinengewehr seine schwere Waffe herumschwenkte und auf die Ambulanz richtete. Der Fahrer liess den Motor anspringen, setzte das Fahrzeug mit einem Ruck in Bewegung und folgte dem vorausfahrenden Krankenwagen.

Die drei Zurückgebliebenen schauten den entschwindenden Hecklichtern noch einige Sekunden nach, dann wandten sie sich ab und gingen ins Haus. An der Blutlache vorbei durchquerten sie die kleine Eingangshalle und gelangten über die breite, teppichbelegte Treppe in den ersten Stock. Heimgartner ging voraus in sein geräumiges Büro und setzte sich hinter seinen Schreibtisch, während die beiden anderen in Ledersesseln davor Platz nahmen. Die Uhr an der Wand zeigte zehn nach elf. Widmer erzählte noch einmal, wie sich alles zugetragen hatte.

„Wir werden morgen herauszufinden versuchen, was mit

dem Mann geschehen ist", sagte daraufhin der Botschafter. Ausserdem würde er bei der Regierung scharf gegen die Handlungsweise der Patrouille protestieren. Er hielt es jedoch weder für sinn- noch taktvoll, dies in Gegenwart des Luchadorianers zu erwähnen.

„Ich brauche Ihnen wohl nicht zu sagen, wie sehr ich diese Angelegenheit bedaure", sagte Iglesias, der die ihm entgegengebrachte Zurückhaltung spürte. Er ergriff seine Tasche und erhob sich. „Jedenfalls werde ich die Ärztekammer über den Vorfall informieren. Sie wird beim Militärgouverneur der Stadt Beschwerde einlegen dagegen, dass ich von den Soldaten an der Ausübung meiner ärztlichen Pflicht gehindert wurde."

Viel würde dabei nicht herausschauen. Alle drei wussten es, doch keiner sprach es aus. Man kannte die Zustände und brauchte darüber keine Worte zu verlieren.

Iglesias verabschiedete sich mit Händedruck von Heimgartner, und Widmer begleitete ihn hinunter zum Ausgang. Nachdem er zurückgekommen war, setzten die beiden Schweizer ihre Unterhaltung in der Mundart ihrer Heimat fort.

„Ich bin zwar kein Arzt, doch ich glaube nicht, dass Minga die Nacht überleben wird", sagte Widmer, dessen leicht schleppender Berner Dialekt etwas melodiöser klang als jener seines Vorgesetzten, der in der Umgebung von Zürich aufgewachsen war.

Der Botschafter spielte nachdenklich mit einem Bleistift. „Er muss grosse Angst gehabt haben, verfolgt zu werden", dachte er laut nach, „sonst wäre er nicht so spät am Abend noch hierhergekommen, sondern hätte die Öffnungszeit morgen früh abgewartet. Er wusste ja nicht, dass um diese Zeit noch jemand hier sein würde, um ihn einzulassen."

„Vermutlich hatte er vor, sich bis zum Morgen irgendwo

in der Nähe zu verstecken, um dann bei einer der Botschaften in dieser Strasse um Aufnahme zu bitten. Dann sah er das Licht in meinem Büro und beschloss, gleich zu uns zu kommen. Pech, dass ausgerechnet in dem Augenblick eine Patrouille um die Ecke bog, als er die Strasse überqueren wollte . . . " Widmer verstummte und machte eine bezeichnende Handbewegung. Beide dachten dasselbe. Wer sich nachts in der Nähe ausländischer Botschaften von einer Patrouille erwischen liess, hatte die Wahl zwischen den Kugeln des Maschinengewehres und dem *Campo Central*.

Sie besprachen noch die Massnahmen, die in dieser Angelegenheit zu treffen waren. Wenn luchadorianische Soldaten auf die eigenen Landsleute schossen, war dies eine innere Angelegenheit El Luchadors. Ausländer konnten da nur hilflos zusehen. Doch hier war Widmer, ein Schweizer Staatsangehöriger, innerhalb des Geländes seiner Botschaft durch die Schiesserei gefährdet worden. Das und die Tatsache, dass die Patrouille den herbeigerufenen Arzt daran gehindert hatte, dem im Botschaftsgebäude liegenden Verletzten zu helfen, waren zwei triftige Gründe für eine Demarche, über deren Erfolg sich allerdings weder Heimgartner noch Widmer irgendwelche Illusionen machten. Widmer würde ausserdem am frühen Vormittag zu Mingas Adresse hinausfahren, um allfällige Angehörige des Entführten zu benachrichtigen. Es war das mindeste, was die Botschaft tun konnte, zumal man wusste, dass die Behörden in ihrer Unberechenbarkeit oft absichtlich die Angehörigen von Getöteten oder Verhafteten über deren Schicksal im Dunkeln liessen.

Der Botschafter fuhr nach Hause und Widmer ging in den Telexraum, um eine Nachricht über die Ereignisse der letzten Stunde nach Bern abzusenden. Anschliessend begab er sich in sein Büro, schloss das Fenster, räumte den Schreibtisch auf und ging hinunter. In einem der Räume im

Erdgeschoss befand sich an der Wand ein kleiner Metallkasten. Widmer steckte einen Schlüssel hinein und setzte mit einer Drehung die Alarmanlage in Betrieb. Er durchquerte die Halle und schaute im Vorbeigehen auf die Blutlache. Der Botschafter würde am nächsten Morgen eine Untersuchung des nächtlichen Zwischenfalls durch die Regierung verlangen. Eine blosse Formsache, deren Resultat vorauszusehen war. Doch solange musste der Blutfleck als Beweismittel auf den Fliesen belassen werden. Zuviel Blut hier, dachte Widmer, während er ins Freie trat. Der Mann musste bereits tot sein.

Das Strassentor war von Heimgartner beim Weggehen geschlossen worden. Widmer öffnete beide Flügel weit, ging zum Parkplatz hinter dem Haus und steuerte seinen Wagen auf die Strasse, wo er ausstieg, um das Tor wieder zu schliessen. Zu beiden Seiten des Tores hatten die Kugeln den Verputz und Teile des Mauerwerkes weggerissen. Das Botschaftsschild, auf Brusthöhe an der Mauer befestigt, war erstaunlicherweise nicht beschädigt worden.

Widmer setzte sich wieder an das Steuer seines Wagens und fuhr los, in seinem Innersten aufgewühlt, den Schrecken der letzten Stunde noch in den Gliedern. Zum ersten Mal in seinem Leben war er so direkt mit der gnadenlosen Gewalt einer auf Töten abgerichteten Maschinerie konfrontiert worden. Dass er absolut nichts für den armen Teufel tun konnte, der heute nacht vergebens bei ihm Zuflucht gesucht hatte, deprimierte ihn zutiefst. Noch immer starrte ihm Mingas angstverzerrtes Gesicht durch die dicken Eisenstäbe des Strassentores entgegen, flehte die vor Furcht entstellte Stimme um Hilfe. Dann die Schüsse, das Blut ... Die Erinnerung daran trieb Widmer noch zusätzlich Schweiss aus allen Poren, während seine Hände sich unwillkürlich um das Lenkrad verkrampften. Mit einem Mal erschien es ihm als eine zusätzliche Grausamkeit gegenüber Mingas Hinterbliebenen – falls welche existierten –, sie bis zum Morgen über das Vorgefallene im Ungewissen zu lassen. Er beschloss, nicht solange zu warten, fuhr an den Strassenrand, hielt an und holte den Zettel mit Mingas Personalien hervor. Nachdem er die Innenbeleuchtung seines Wagens eingeschaltet hatte, las er die Adresse nochmals und entnahm dem Handschuhfach eine Strassenkarte von Resistencia, die er eine Weile studierte. Dann legte er sie offen auf den Beifahrersitz, löschte das Innenlicht und fuhr wieder los.

Der Stadtteil, in dem Minga gewohnt hatte, hiess La Terazza. Er gehörte zu dem kilometerbreiten, hässlichen Streifen von Taglöhner- und Elendsquartieren, welche die Hauptstadt im Norden, Osten und Süden umgaben, und wo tagsüber stumpf und zermürbt dreinblickende Männer und Frauen mit ihren schmutzigen, hungrigen Kindern vor den Armenküchen der Kirchen Schlange standen. Widmer fand sich in den mangelhaft angeschriebenen und kaum beleuchteten Strassen nur schwer zurecht. Als er schliesslich nach einer Kirche in die Gasse einbog, die laut Strassenkarte die Calle Berenson sein musste, zeigte das Leuchtzifferblatt seiner Armbanduhr zehn Minuten nach Mitternacht. Anderthalb Stunden waren seit den Maschinengewehrschüssen im Camino de Gracia vergangen.

Nach ungefähr dreissig Metern liess er den Wagen stehen und ging einige Schritte zu Fuss weiter. Abgesehen von einem schwachen Schimmer, den der Mond auf die kahlen Mauern der niedrigen Stein- und Lehmhäuser warf, lag die Gasse im Dunkeln. Es war unmöglich, irgendwelche Hausnummern auszumachen, und Widmer blieb entmutigt stehen. Nun ärgerte er sich darüber, dass er nicht doch bis zum Morgen gewartet hatte, und dachte daran, dass es für Europäer ja auch nicht ganz ungefährlich war, sich des Nachts allein in die Armenviertel zu begeben, wo der Hunger manche Menschen zu Kriminellen machte. Als er sich umdrehte, um zu seinem Wagen zurückzugehen, sah er den dunklen Schatten des Kirchturms über die Dächer der Wohnhäuser hinausragen. Einer Eingebung folgend ging er an seinem Wagen vorbei zum Kirchplatz zurück, um den er vorhin gebogen war. Als er beim letzten Haus in der engen Strasse vorbeikam, bemerkte er hinter den dunklen Vorhängen eines Fensters im Erdgeschoss einen schwachen Lichtschimmer, den er vorhin aus seinem Auto heraus nicht bemerkt hatte. Er ging um das Haus herum zum Eingang, der sich auf der Kirchplatzseite befand. Neben der Tür war ein kleines Schild an der Mauer angebracht, doch es war zu dunkel, als dass Widmer die Schrift hätte entziffern können. Dies musste das Pfarrhaus sein. Er zögerte noch einige Sekunden, dann zog er am Griff der Kordel, die am rechten Türpfosten herunterhing. Im Innern des Hauses bimmelte eine Glocke, und nach einer Weile wurde ein Schlüssel im Schloss gedreht. Ein grossgewachsener, weisshaariger Mann in einem dunklen Priesterrock erschien in der halboffenen Tür.

„Señor?"

„Bitte verzeihen Sie die späte Störung, Padre", sagte Widmer, erleichtert darüber, seine Vermutung bestätigt zu sehen, „doch ich bin hier, um Sie in einer dringenden Angelegenheit um Hilfe zu bitten. Die Sache betrifft einen Mann namens Minga. Carlos Minga."

„Minga?" Der Pfarrer sprach den Namen aus, als höre er ihn zum ersten Mal. Widmer, der die misstrauische Zurückhaltung des Priesters fühlte, stellte sich vor und fügte hinzu: „Heute nacht hat sich bei unserer Botschaft ein Vorfall zugetragen, über den ich mit Ihnen sprechen möchte."

Es dauerte noch einen Atemzug, ehe der Geistliche die

Tür ganz öffnete und einladend zur Seite trat. „Bitte kommen Sie herein, Señor."

Er schloss die Tür hinter dem Besucher und führte diesen in einen einfach möblierten Raum, der offenbar als Arbeits-, Wohn- und Schlafzimmer in einem zu dienen hatte. Ein Bett mit einem darüberhängenden Moskitonetz, ein alter Sekretär, eine Kommode, ein kleines Büchergestell und ein Tisch mit zwei Stühlen bildeten die Möblierung. Abgesehen von einem kleinen hölzernen Kreuz, das über dem Kopfende des Bettes hing, waren die Wände nackt. Eine alte Deckenlampe verbreitete ein gelbliches Licht. Der Vorhang am Fenster war aus grobem Tuch gefertigt, und der Gedanke durchfuhr Widmer, dass man zu Hause in der Schweiz einen solchen Fetzen höchstens noch benutzt hätte, um im Keller gelagerte Sachen zuzudecken und vor dem Verstauben zu schützen.

Der Pfarrer bat Widmer, am Tisch Platz zu nehmen, und setzte sich ihm gegenüber.

„Was ist es, worüber Sie mit mir sprechen wollen, Señor?" fragte er und sah ihn aus forschenden Augen an. Sein abgezehrtes Gesicht wies tiefe Furchen auf. Es war das Antlitz eines alten Menschen, der viel gesehen, viel erlebt und viel mitgelitten hatte, und der zu oft sein Essen weggegeben hatte an andere, die noch hungriger waren als er.

„Kennen Sie Carlos Minga? Soviel ich weiss, wohnt er hier in der Nähe."

Der Pfarrer ging auf die Frage nicht ein. „Sie sagten, Sie seien von der Schweizer Botschaft?"

Widmer nahm seinen Pass aus der Brusttasche seines Hemdes und legte ihn offen vor dem andern auf den Tisch. Der Priester betrachtete aufmerksam die aufgeschlagene Seite mit dem Foto.

„Ich muss sehr vorsichtig sein", sagte er schliesslich ernst, während er den Ausweis zu Widmer zurückschob.

„Sie hätten ein Geheimpolizist sein können. Die legen sich manchmal ausländische Akzente zu, um die Leute zu täuschen. Übrigens, mein Name ist Ignacio Gómez. Ich bin der verantwortliche Pfarrer dieser Kirchgemeinde."

Widmer nahm den Pass wieder an sich. „Ist Ihnen Minga bekannt?"

„Oh ja, ich kenne ihn gut. Ist er in Ihrer Botschaft? Bringen Sie mir eine Nachricht von ihm?" Die Haltung des Pfarrers hatte sich geändert, und Widmer hatte mit einem Mal den Eindruck, er sei über den nächtlichen Besuch gar nicht so überrascht.

„Minga befindet sich im *Campo Central*", sagte er und sah, wie sich Don Ignacios Miene versteinerte. Er sprach weiter, und als er zu Ende erzählt hatte, senkte der Pfarrer sein Haupt und vergrub, die Ellbogen auf den Tisch gestützt, sein Gesicht in den Händen.

„Wir konnten nicht anders, als ihn dem Unfallwagen zu überlassen", fügte Widmer leise hinzu, als wolle er sich entschuldigen dafür, den Sterbenden an die Soldaten ausgeliefert zu haben. „Bei uns wäre er vor seinen Verfolgern sicher gewesen, dafür hätten ihn diese von jeglicher ärztlichen Hilfe abgeschnitten. Er wäre innert kürzester Zeit gestorben."

Don Ignacio rührte sich nicht.

„Kannten Sie ihn gut?" fragte Widmer nach einer Weile sanft.

Da liess der Geistliche die Arme sinken und nickte schwach, niedergedrückt. Sein Gesicht schien noch eingefallener, die Furchen darin noch tiefer. „Wir waren schliesslich Nachbarn. Zu vielen Menschen, die hier wohnen, haben wir Priester ein ausgesprochen familiäres Verhältnis. Die Bewohner dieses Pfarrbezirkes helfen sich gegenseitig. Die Not zwingt sie dazu." Er seufzte. „Ich habe Sie erwartet, Señor, oder sagen wir, ich war nicht überrascht, als Sie kamen."

Widmer musterte ihn fragend. Sein Gefühl hatte ihn also nicht getrogen.

„Dieses Pfarrhaus ist weit und breit der einzige Ort mit einem Telefonanschluss", fuhr der Pfarrer fort. „Deshalb rief Minga mich heute abend an, ungefähr um zehn Uhr. Er war an einer geheimen Versammlung gewesen. Sie wissen wohl, Señor, dass in unserem Land sämtliche Gewerkschaften und politischen Parteien verboten sind. Trotzdem gibt es diese Organisationen, in der Illegalität, im Untergrund. Ihre Mitglieder leben in der ständigen Gefahr, entdeckt und ins Gefängnis geworfen oder umgebracht zu werden. Carlos war einer von ihnen. Ich weiss es erst seit seinem Anruf vor zwei Stunden. Normalerweise erzählt man so etwas niemandem, nicht einmal dem Pfarrer. Wer nichts weiss, kann nichts verraten, falls er einmal der Polizei in die Hände fallen sollte.

Am Telefon sagte mir Minga, dass er an einem solchen Treffen gewesen sei, und dass im Laufe des Abends, es muss so um Viertel vor zehn gewesen sein, plötzlich Nationalgardisten den Versammlungsraum gestürmt hätten. Viele der Anwesenden wurden beim Versuch, zu entkommen, erschossen, die übrigen festgenommen. Minga gelang es, zu fliehen. Er war überzeugt, als einziger davongekommen zu sein und bat mich, seine Frau und seine Kinder aus der Wohnung zu holen und irgendwohin in Sicherheit zu bringen. Er fürchtete, die Polizei kenne seinen Namen, und wollte seine Familie vor Vergeltungsmassnahmen schützen. Er selbst war unterwegs zum Camino de Gracia. Er wusste, dass dort mehrere ausländische Botschaften waren und hoffte, in einer von ihnen Zuflucht zu finden. Ich bat ihn, mir eine Nachricht zukommen zu lassen, sobald er in Sicherheit sei.

Nach dem Anruf ging ich sofort zu seiner Frau. Wir packten das Allernotwendigste in mein Auto, und ich fuhr sie und die Kinder zu Freunden ausserhalb der Stadt. Ich selbst bin erst vor einer halben Stunde wieder nach Hause gekommen." In einer Geste der Erschöpfung fuhr er sich mit der Hand über die Stirn. „Ich werde heute nacht wohl nochmals hinausfahren müssen. Seine Familie hat ein Anrecht darauf, sofort zu erfahren, was geschehen ist."

„Soll ich Sie begleiten?"

„Das hätte wenig Sinn. Ich danke Ihnen trotzdem, Señor."

„Wir werden morgen bei den Behörden Nachforschungen anstellen."

„Glauben Sie, dass Sie Erfolg haben werden?" Die Stimme des Priesters klang skeptisch.

„Ich will Ihnen und Mingas Angehörigen keine falschen Hoffnungen machen, Padre. Die Amtsstellen sind leider ausserordentlich zurückhaltend mit Auskünften."

„Sie drücken sich sehr höflich aus, Señor Widmer." Ein Anflug von Sarkasmus war noch hinzugekommen. Der Geistliche holte vom Sekretär einen Zettel, schrieb mit Bleistift eine Telefonnummer darauf und reichte ihn Widmer. „Ich wäre Ihnen sehr dankbar, wenn Sie mich anrufen würden, falls Sie doch noch irgend etwas, und sei es nur das Geringste, erfahren."

„Das werde ich gerne tun, Padre." Widmer steckte den Zettel ein und erhob sich. Er hatte noch eine Frage. „Was hätte Minga getan, wenn er unverletzt geblieben wäre?"

„Er wollte versuchen, ins Ausland zu gelangen, irgenwohin, wo er politisches Asyl und Arbeit erhalten hätte. Venezuela, Mexico, vielleicht Europa. Seine Familie wollte er später nachkommen lassen. Hier in El Luchador wäre er nie mehr sicher gewesen."

Der Pfarrer geleitete seinen Besucher zur Haustür, und als

sie sich die Hand drückten, sagte er: „Ich danke Ihnen, Señor, dass Sie sich die Mühe genommen haben, heute nacht noch hierherzukommen. *Anda con Dios*."

„*Buenas noches, padre*."

Als Widmer gegangen war, schloss Pfarrer Gómez die Haustür hinter sich ab und ging zu seinem alten Auto, das in einem dunklen Winkel hinter dem Haus stand. Es war ihm nur dank der gütigen Hilfe des Bischofs möglich, den Treibstoff und die allernötigsten Unterhaltsarbeiten für den Wagen zu bezahlen. Doch die Menschen seiner Gemeinde waren oft angewiesen auf das Fahrzeug. Es diente ihnen bald als Krankenwagen, bald als Fluchtauto. Wie in dieser Nacht. Lange würde es seinen Dienst allerdings nicht mehr tun. Die Karrosserie war verbeult und vom Rost zerfressen, aus unzähligen Rissen in den Sitzbezügen quoll der Schaumgummi der Polsterung, und der jämmerliche mechanische Zustand liess erkennen, dass es nur noch eine Frage der Zeit war, bis der Wagen für immer stehenbleiben würde.

Der Priester stieg ein, doch dann sass er lange reglos hinter dem Steuer und starrte gedankenverloren durch die Windschutzscheibe in das nächtliche Dunkel. Er dachte an die einige Monate zurückliegende Beichte eines Offiziers, an Seelen, die schon zu sehr von Gier und Verderbtheit zerfressen waren, als dass sie durch Sühne, auch der schrecklichsten Art, noch zu retten gewesen wären. Geschichte aus einer anderen Zeit und einem anderen Ort, die sich hier zu wiederholen begann . . .

In einem Anfall tiefster Verzweiflung fuhr sich Ignacio Gómez, der Seelsorger ohne Hoffnung, mit beiden Händen an den Kopf.

„*Dio mío, porqué nos haces eso?!*" stöhnte er laut. – „Mein Gott, warum tust Du uns das an?!" . . .

Bald hatte er jedoch seine Selbstbeherrschung wiedergefunden, und während er den Motor anspringen liess, konzentrierte er sich auf die traurige Aufgabe, die in dieser Nacht noch vor ihm lag.

II

Die Antwort der luchadorianischen Regierung auf den Protest des Schweizer Botschafters entsprach dessen nüchternen Erwartungen: Selbstverständlich wolle man sich der Sache annehmen, doch aus grundsätzlichen, die innere Sicherheit des Landes tangierenden Erwägungen sei es leider nicht möglich, auf Fragen einzugehen, welche inhaftierte Rebellen und Terroristen beträfen. Die Beschwerde darüber, dass ein Arzt am Betreten der Botschaft gehindert worden sei, habe man zur Kenntnis genommen. Allerdings handle es sich hier ja um eine innenpolitische Angelegenheit El Luchadors. Man bedaure die unglückseligen Vorkommnisse und hoffe doch, dass die „traditionell guten" Beziehungen zwischen El Luchador und der Schweiz dadurch nicht getrübt würden . . .

Zwei Tage nach dem blutigen Zwischenfall im Camino de Gracia rief Widmer bei Pfarrer Gómez an und teilte ihm mit, dass es der Botschaft nicht gelungen sei, etwas über Minga herauszufinden.

„Ich habe nicht erwartet, dass Sie etwas erfahren", sagte der Pfarrer. „Ich werde morgen selbst zum *Campo Central* gehen und versuchen, mit dem Lagerkommandanten zu sprechen."

„Glauben Sie, Ihre Chancen seien grösser? Sie begeben sich höchstens unnötig in Gefahr, indem Sie sie auf sich aufmerksam machen."

„Das glaube ich nicht. Ich bin ein Priester, der sich nach einem seiner Gemeindemitglieder erkundigt . . . "

Widmer war von der Furchtlosigkeit des Armenseelsorgers beeindruckt. „Wann gehen Sie hin?"

„Gegen neun Uhr, aber . . . "

„Ich werde Sie begleiten. Inoffiziell natürlich. Die Sache interessiert mich persönlich."

Der Pfarrer schien erfreut über Widmers Anteilnahme. Die Anwesenheit eines ausländischen Diplomaten bei seiner Vorsprache im Gefängnis würde ihm sicher eine grosse moralische Hilfe sein. „Vielen Dank, ich nehme Ihr Angebot gerne an. Sagen wir also um neun Uhr an Ort und Stelle, vor dem Haupteingang?"

„In Ordnung."

Das *Campo Central* war ein düsterer, vierstöckiger Bau aus der Mitte des vorigen Jahrhunderts, quadratisch angelegt, mit einem gepflasterten Innenhof. Die Reihen mit Eisenstäben bewehrter Zellenfenster erinnerten an die Schiessscharten einer mittelalterlichen Burg. Der Verwaltungsteil befand sich im parallel zur Strasse verlaufenden Flügel. Durch eine schwer bewachte Einfahrt fuhren jeweils die Militärfahrzeuge, welche Gefangenentransporte ausführten. Das ehemalige Zuchthaus war in ein Straflager für „Staatsfeinde" umgewandelt worden, dessen blosse Erwähnung den Menschen Furcht einjagte. War einer erst mal hier, konnte er abgeschrieben werden. Entweder er kam nach Monaten oder Jahren an Leib und Seele verkrüppelt wieder heraus, oder man liess ihn in den feuchten Zellen buchstäblich verfaulen. Wer auf schnelle Weise umgebracht wurde, hatte Glück. Jüngere Insassen beiderlei Geschlechts jedoch wurden, wenn sie gesund und widerstandsfähig waren, besonderen Verwendungszwecken zugeführt. Über die Art des Einsatzes dieser Unglücklichen wussten nur eine Handvoll Leute Bescheid.

Widmer hatte seinen Wagen am Strassenrand geparkt und ging auf den Eingang zum Verwaltungsflügel zu, wo Pfarrer Gómez bereits auf ihn wartete. Trotz der bleiernen Hitze trug der Geistliche seine abgewetzte und, wie Widmer jetzt bei Tageslicht bemerkte, an mehreren Stellen geflickte Soutane bis zum Hals zugeknöpft. Während viele der jüngeren katholischen Priester im Alltag nur noch Zivilkleider trugen, brachten es alte Geistliche wie Padre Ignacio nicht fertig, sich von dem traditionellen, bis zu den Knöcheln reichenden schwarzen Rock zu trennen.

Gemeinsam schritten sie die fünf breiten Steinstufen hinauf und betraten an zwei mit Schnellfeuergewehren bewaffneten Wachen vorbei das Gebäude. Sie kamen in eine Eingangshalle mit angrenzenden Büros und einer breiten Treppe im Hintergrund, die in die oberen Stockwerke und in die Untergeschosse führte. Ein von der Decke hängender Ventilator wirbelte dic feuchtigkeitsübersättigte Luft durcheinander, ohne jedoch Kühlung zu verschaffen. Bei der Treppe standen zwei weitere Wachsoldaten, und an einem Tisch neben dem Eingang sass ein Unteroffizier mit den Rangabzeichen eines Sergeanten. Auf dem Tisch befand sich ein Telefon, weiter nichts. Der Unteroffizier sah den zwei Eintretenden mit gleichgültiger Miene entgegen.

„Wir möchten gerne den Lagerkommandanten sprechen", sagte der Pfarrer zu ihm.

„Sind Sie angemeldet?"

„Nein."

„Dann kann er Sie nicht empfangen."

„Aber es ist eine sehr dringende Angelegenheit. Wir hatten keine Zeit, uns anzumelden." In Wirklichkeit hatten weder Pfarrer Gómez noch Widmer an die Möglichkeit gedacht, dass man sich für einen Besuch anmelden musste. Der Sergeant lehnte sich auf seinem Stuhl zurück und musterte die beiden abweisend. Was soll's, dachte er. Immer wieder kamen Leute, um sich nach irgendwelchen Angehörigen oder Freunden zu erkundigen, die irgendwo, irgendwann verhaftet worden oder einfach spurlos verschwunden waren.

„Wenn sie den Kommandanten sprechen wollen, müssen Sie sich vorher anmelden", sagte er. „Ausserdem ist er abwesend." Er wandte seinen Blick ab und schaute an ihnen vorbei, als wären sie schon nicht mehr da. Wenn sie nicht gleich freiwillig gingen, würde er sie von den Wachen hinauswerfen lassen.

Doch nun trat Widmer, der bisher schweigend zugehört hatte, nahe an den Tisch heran und nannte seinen Namen. Dann fuhr er mit scharfer Stimme fort: „Ich bin Sekretär an der Schweizer Botschaft und ersuche Sie dringend, uns sofort zum Lagerkommandanten zu führen!"

Das war gegen die Regeln der internationalen Diplomatie. Er war als Privatperson hier, nicht als Vertreter seiner Regierung in einer offiziellen Mission, und durfte sich deshalb in keiner Weise auf seinen diplomatischen Status berufen. Er hatte nicht mehr Rechte, vorgelassen zu werden, als sonst jemand, doch er war entschlossen, dem mutigen alten Priester beizustehen, und hoffte, der Sergeant werde sich täuschen lassen. Letzterer schaute ihn verdutzt an und griff, als Widmer ihm noch den Diplomatenpass unter die Nase hielt, irritiert zum Telefon. Nachdem er eine interne Nummer gewählt hatte, sprach er einige Sätze in den Hörer und lauschte. Dann sagte er „*A la orden, capitán!* – Zu Befehl, Herr Hauptmann!", legte auf, erhob sich und trat hinter dem Tisch hervor.

„Folgen Sie mir!" sagte er mürrisch und verärgert darüber, bei einer Lüge ertappt worden zu sein. Doch wie hätte er als gewöhnlicher Unteroffizier auch Bescheid wissen sollen über die internationalen Abkommen, welche die diplomatischen Beziehungen zwischen den Staaten regelten, und über die vorgezeichneten Kanälen, durch welche Angehörige einer ausländischen Botschaft mit den Behörden des Gastgeberlandes zu verkehren hatten.

Er führte sie die Treppe hinauf in das erste Stockwerk.

Dort blieb er vor einer Tür stehen, an der ein Schild befestigt war mit der Aufschrift: Hauptmann Joaquin Tacquieri.

Der Sergeant klopfte an, trat ein, tat einen Schritt zur Seite und grüsste seinen Vorgesetzten stramm. An ihm vorbei betraten Widmer und der Pfarrer den Raum. Hauptmann Tacquieri sass hinter einem grossen Schreibtisch und legte soeben den Telefonhörer auf die Gabel. Er hatte breite Schultern, kurzgeschnittenes, schwarzes Haar und einen dünnen Oberlippenbart. Mit einem leicht amüsierten Gesichtsausdruck schaute er den beiden Besuchern entgegen und wies ihnen, nachdem der Unteroffizier das Büro verlassen und die Tür hinter sich zugezogen hatte, mit einer Handbewegung zwei Stühle vor dem Schreibtisch zu.

„Nun, Señores?“ In seiner Stimme klang derselbe Hauch von Spott und Herablassung mit, den Widmer bereits in seinen Augen bemerkt hatte. Während sie unterwegs zu Tacquieris Büro gewesen waren, hatte sich dieser offenbar telefonisch bei seiner vorgesetzten Dienststelle nach der Bedeutung des Besuches eines Botschaftssekretärs erkundigt. Im Gegensatz zum Sergeanten wusste er, dass Widmer geblufft hatte.

„Mein Name ist Ignacio Gómez“, begann der Pfarrer. „Ich betreue die Kirchgemeinde San Miguel in La Terazza. Dies hier ist Señor Widmer.“

Eine kurze Pause entstand, während Tacquieri die beiden abwartend musterte. Der Geistliche fuhr fort: „Vor drei Tagen wurde ein Mann aus meiner Gemeinde vor der Schweizerischen Botschaft im Camino de Gracia von einer Militärpatrouille angeschossen und schwer verletzt. Eine Ambulanz brachte ihn hierher. Sein Name ist Minga, Carlos Minga.“

„Minga?“ sagte der Gefängniskommandant. „Wir haben keinen Insassen, der so heisst.“

„Er hatte einen Ausweis bei sich, so dass Ihnen seine Identität bekannt sein sollte."

Das musste in den Ohren des Hauptmanns buchstäblich unverschämt klingen, und Widmer bewunderte die Unerschrockenheit Padre Ignacios. Der Blick des Offiziers ruhte auf der schwarzgekleideten Gestalt, während die Finger seiner rechten Hand einen harten Wirbel auf die Schreibtischplatte trommelten. Schliesslich wandte Tacquieri sich, ohne weiter auf den Geistlichen einzugehen, an Widmer.

„Sie sind, wie ich höre, Angehöriger der Schweizer Botschaft, Señor?"

„Das ist richtig, Herr Hauptmann, und ich möchte Sie bitten –"

„Verzeihen Sie, wenn ich Sie unterbreche, Señor, aber ich darf wohl annehmen, dass Sie in offizieller Mission hier sind? Ich meine, unsere Regierung ist doch über Ihren Besuch hier bei mir informiert?"

Widmer spürte, wie ihm ob der Demütigung das Blut in den Kopf schoss. „Ich bin als Privatperson hier. Bei dem von Padre Ignacio geschilderten Zwischenfall befand ich mich im Botschaftsgebäude und kümmerte mich um den Verletzten, bis er abtransportiert wurde. Es interessiert mich deshalb persönlich sehr, was aus dem Mann geworden ist. Wir, Padre Ignacio und ich, wären Ihnen sehr dankbar, wenn Sie uns zumindest sagen könnten, ob er noch lebt. Wir wissen, dass er hierhergebracht wurde."

„Woher wissen Sie das?"

„Ich hörte, wie der Patrouillenführer dem Fahrer des Krankenwagens den entsprechenden Befehl erteilte."

„Woher wissen sie denn, dass der Mann Minga hiess?"

„Ich habe mir seinen Ausweis angesehen, als er ohnmächtig war. Später benachrichtigte ich Padre Ignacio, weil Minga in seinem Pfarrbezirk wohnte."

Tacquieri hatte die Ellbogen auf den Armlehnen seines Stuhles abgestützt und die Hände vor der Brust verschränkt. „Wir kennen die Namen all unserer Gefangener. Minga ist nicht unter ihnen."

„Wir haben jedoch zu dritt gehört, wie der Korporal der Patrouille –"

„Vielleicht hat der Korporal unterwegs neue Befehle erhalten und ist mit dem Gefangenen woanders hingefahren", unterbrach der Hauptmann den Schweizer erneut. „Vielleicht haben Sie sich auch zu dritt verhört."

Er erhob sich, die Audienz war zu Ende. Hauptmann Tacquieri genoss es, ausser seinen Vorgesetzten niemandem Auskunft geben zu müssen. Keinem Rechtsanwalt, keinem Untersuchungsrichter, und schon gar nicht irgendwelchen Pfaffen und Ausländern. Er war Offizier der Armee, und die Armee regierte das Land. Sie war keiner weiteren Instanz verantwortlich. Was sie tat, war richtig und durfte von niemandem angezweifelt werden. Die Armee besass die Macht, oder besser noch, sie *war* die Macht.

Widmer und der Pfarrer erhoben sich ebenfalls. Padre Ignacio schien noch etwas sagen zu wollen, besann sich jedoch anders. Tacquieris Blick war nicht mehr herablassend amüsiert wie bei ihrem Eintreten, sondern hart und abweisend. Die Menschenverachtung, die Widmer in den Augen des Offiziers zu erkennen glaubte, liess ihn innerlich erschaudern.

Als die beiden gegangen waren, setzte sich der Hauptmann wieder und griff erneut zum Telefon, diesmal, um Bericht zu erstatten.

Widmer war froh, der bedrückenden Atmosphäre des Gefängnisses entrinnen zu können. Sie traten an den Wachen vorbei ins Freie und gingen, jeder in seine eigenen Gedanken vertieft, schweigend die Strasse hinunter.

„Ich hoffe, Sie werden keine Schwierigkeiten bekommen, weil Sie mich begleitet haben, Señor", sagte schliesslich der Pfarrer, während er ein grosses, farbiges Taschentuch hervorzog und damit über sein verschwitztes Gesicht fuhr. Die Hitze lag schwer und klebrig über der Stadt.

„Wenn der Lagerkommandant die Sache meldet – und das wird er ganz sicher tun –", antwortete Widmer, „werden wir uns auf einen Protest der Regierung gefasst machen müssen."

„Welche Konsequenzen wird das für Sie persönlich haben?"

Widmer zuckte mit den Schultern. „Eine milde Rüge vielleicht. Der Botschafter weiss nicht, dass ich mit Ihnen gekommen bin, doch er wird Verständnis für meine Handlungsweise aufbringen, wenn er sie offiziell auch nicht gutheissen darf." Sie waren bei seinem Wagen angelangt und blieben stehen. „Es tut mir leid, dass ich Ihnen nicht mehr behilflich sein konnte, Padre."

„Vielleicht besteht doch noch die Möglichkeit, etwas über Minga zu erfahren." Der Pfarrer sagte nicht, was er mit seiner Andeutung meinte.

„Rufen Sie mich an, falls Sie etwas herausfinden. Ich werde allerdings nur noch zwei Wochen in Resistencia sein."

„Übernehmen Sie einen Posten auf einer anderen Botschaft? Hat man Sie befördert?" Trotz des tristen Anlasses, der die beiden hierhergeführt hatte, zeigte das Gesicht des Geistlichen einen Ausdruck freundlicher Neugierde.

„Keines von beiden", antwortete Widmer. „Ich kehre in die Schweiz zurück und verlasse den Diplomatischen Dienst, um zu Hause in Bern in die Anwaltspraxis meines Bruders einzutreten."

Padre Ignacio schaute ihn aus Augen an, in denen etwas Nachdenkliches lag. Als sie sich zum Abschied die Hand drückten, sagte er: „Ich wünsche Ihnen von Herzen alles Gute, Señor Widmer, und hoffe, wir werden uns vor Ihrer Abreise noch einmal sehen."

„Das würde mich sehr freuen, Padre."

Der Priester entfernte sich, und Widmer stieg in sein Auto. Während der Rückfahrt zur Botschaft rätselte er vergeblich über den seltsamen Blick, mit dem Padre Ignacio auf seine Mitteilung über die bevorstehende Heimreise reagiert hatte.

III

Vier Tage nach dem Besuch im Gefängnis erhielt Widmer einen Anruf von Pfarrer Gómez.

„Ich möchte Sie bitten, mich heute oder morgen abend zu besuchen. Es gibt da eine wichtige Angelegenheit, die ich gerne mit Ihnen besprechen würde."

„Geht es um Minga?"

„Minga ist tot; ich habe es gestern nacht erfahren. Dies ist jedoch nicht der Grund meines Anrufes. Können Sie kommen?"

Widmer antwortete nicht gleich. Was wollte der Pfarrer von ihm? Abgesehen von ihrem gemeinsamen Interesse an Minga hatten sie nichts miteinander zu tun. Ein feinmaschiges, unsichtbares Netz legte sich über ihn. Ein Instinkt warnte ihn, doch er konnte und wollte dem Geistlichen die Bitte um ein Gespräch nicht abschlagen.

„Morgen abend um acht Uhr?" schlug er vor.

„Gut, ich erwarte Sie."

Am Abend des darauffolgenden Tages fuhr Widmer nach La Terraza hinaus. Während der Fahrt kreisten seine Gedanken um das bevorstehende Treffen. Er konnte sich nicht vorstellen, worüber Padre Ignacio mit ihm sprechen wollte.

Der Pfarrer selbst öffnete ihm, und nun fiel Widmer die Stille in dem kleinen Haus auf, welche er bei seinem ersten, mitternächtlichen Besuch als normal empfunden hatte.

„Wohnen Sie alleine hier?" fragte er, als sie sich, wie schon vor einigen Tagen, in Padre Ignacios Zimmer gegenübersassen.

Der Pfarrer schüttelte den Kopf. „Ich teile dieses Haus – und die Arbeit in diesem Pfarrbezirk – mit Padre Miguel und Padre Esteban. Ich habe jedoch dafür gesorgt, dass sie heute auswärts beschäftigt sind. Ausserdem wohnt hier noch unsere Haushälterin. Sie ist heute bei ihrem Bruder auf Besuch und wird nicht vor zehn Uhr zurück sein. Wir sind allein, Señor Widmer, und das ist gut so. Ich vertraue den Menschen sehr, die hier mit mir zusammenleben, doch es ist besser, wenn sie nichts von dem mitbekommen, was ich Ihnen zu sagen habe. Ich weiss nicht, ob sie stark genug wären, auf eine Weise damit fertig zu werden, wie es die augenblickliche Situation erfordert."

Nun wurde Widmer neugierig. „Wie haben Sie erfahren, dass Minga tot ist?"

„Durch eine Person, die Zugang zu solchen Informationen hat. Ich darf Ihnen die Identität des Mannes vorläufig noch nicht enthüllen, doch seinetwegen habe ich Sie heute hergebeten. Ich spreche praktisch in seinem Auftrag." Der grauhaarige Pfarrer schaute seinem Besucher geradewegs in die Augen. „Señor Widmer, ich – wir möchten Sie bitten, bei Ihrer Heimreise einen Umschlag mit wichtigen Dokumenten in die Schweiz mitzunehmen und dort bei einer Bank zu hinterlegen."

„Dokumente?" Das war es also! Einen Augenblick lang wusste Widmer nicht, wie er auf die seltsame und für ihn auch etwas peinliche Bitte reagieren sollte. Ihm war sofort klar, dass sie mit seinem besonderen Status als Angehöriger einer ausländischen Botschaft zusammenhing. Dank der Immunität, die er als Inhaber eines Diplomatenpasses genoss, brauchte er beim Verlassen des Landes sein Gepäck den strengen Ausreisekontrollen, welche in El Luchador herrschten, nicht unterziehen zu lassen. Schmuggelgeschäfte irgendwelcher Art liessen sich jedoch mit seinem Berufsethos nicht vereinbaren. Er wunderte sich, was hinter den geheimnisvollen Bemerkungen des Padres steckte.

„Was für Dokumente?" fragte er.

Padre Ignacio betrachtete zögernd seine wie im Gebet

gefalteten Hände auf dem Tisch. Schliesslich schaute er auf und begann zu sprechen, ohne allerdings direkt auf Widmers Frage einzugehen. Er erzählte von jungen Frauen und Männern in Konzentrationslagern und von einer Geheimorganisation mit dem Namen *Nueva Vida* – Neues Leben –, welche von der Regierung direkt kontrolliert wurde. Widmers verhaltene Neugier wandelte sich bald in ein Gefühl ungläubiger Bestürzung. Der Pfarrer sprach mit gleichmässig ruhiger Stimme, als ob ihn all die von ihm beschriebenen Dinge persönlich nicht berührten. Zum Schluss sagte er: „Der Mann, den ich im Zusammenhang mit Minga erwähnt habe – nennen wir ihn vorläufig ‚S' –, wird sich demnächst aus El Luchador absetzen und in die Schweiz reisen. In Basel findet ein internationaler Kongress der Gefangenenhilfsorganisation Amnesty International statt, an dem Menschen aus aller Welt über Menschenrechtsprobleme in ihren Heimatländern berichten werden. Die gesamte Weltpresse wird vertreten sein. ‚S' wird Unterlagen mit sich führen, mit denen er all das, was ich Ihnen soeben erzählt habe, wird beweisen können. Er will den Kongress dazu benützen, die Weltöffentlichkeit auf unübersehbare Art und Weise mit den Zuständen in unserem Land zu konfrontieren. Das Aufsehen wird um so grösser sein, als auch die ausländischen Verbündeten unserer Regierung in die Angelegenheit verwickelt sind."

Er sagte nicht, wen er meinte, und Widmer fragte auch nicht danach. Die Situation in El Luchador war klar genug, dass es keiner Namensnennung bedurfte.

„Sie unterstützen General Costa, unseren Präsidenten, massiv mit Waffenlieferungen und militärischer Beratung", fuhr Padre Ignacio fort. „Dadurch ist Costa in der Lage, das Land unter absoluter Kontrolle zu halten. Wenn nun jemand versucht, seine Verbrechen aufzudecken, so werden auch jene Teile des Auslandes mit in die Sache hineingezogen, welche durch ihre undifferenzierte Hilfe das Unfassbare erst möglich gemacht haben."

„Sie haben meine Frage von vorhin noch nicht beantwortet, Padre. Was sind das für Papiere, die ich für Sie in die Schweiz transportieren soll?"

„Es handelt sich um eine Kopie des Berichtes, den ‚S' am Kongress veröffentlichen will. Beim Verlassen des *Campo Central*, vor vier Tagen, erwähnten Sie Ihre bevorstehende Heimreise. Ich betrachtete dies als ein Zeichen des Himmels und hielt sofort Rücksprache mit ‚S'. Er war damit einverstanden, Sie um Hilfe zu bitten."

„Wozu will er Kopien seines Berichtes auf einer Bank hinterlegen?"

„Als Garantie für sein Leben. Sein Verschwinden wird hier keine zwölf Stunden unbemerkt bleiben. Er hat nicht die geringste Chance, unentdeckt um die halbe Welt bis in die Schweiz zu reisen, und ist sicher, dass man ihn jagen wird, um ihn zu töten. Die Weisung für die Bank wird lauten, die Papiere an den Präsidenten von Amnesty International zu senden, falls ‚S' sie nicht innerhalb einer gewissen Frist persönlich abholt. Als Stichtag soll der dritte Tag des Kongresses gelten. ‚S' wird die luchadorianische Regierung rechtzeitig über die von ihm getroffene Sicherheitsvorkehrung in Kenntnis setzen. Er hofft, seine Verfolger auf diese Weise eine Weile in Schach zu halten. Natürlich werden die trotzdem versuchen, ihn zu neutralisieren, doch die Zeit wird gegen sie arbeiten."

Der Pfarrer schwieg und wartete. Widmer fühlte den sanften Druck, der von den Augen des Geistlichen ausging und ihn dazu bringen wollte, ja zu sagen. Er wich dem eindringlichen Blick aus, fuhr sich mit der Hand über die schweissglänzende Stirn und schüttelte den Kopf. Noch ehe er sprach, wusste er, dass seine Antwort für ihn den rettenden Ausweg aus einer Mitverantwortung bedeutete, in welche man ihn als Ausländer offensichtlich hineinziehen wollte, die zu anerkennen er sich jedoch weigerte. „Sie wissen, Padre Ignacio, dass ich mich als ausländischer Diplomat unter gar keinen Umständen in die internen politischen Angelegenheiten El Luchadors einmischen darf. Ich hoffe jedoch, dass es Ihnen gelingen –"

Da unterbrach ihn Padre Ignacio, indem er ihm die Hand auf den Arm legte. „Ich kann Ihre Situation verstehen, Señor. Ich bitte Sie um Verzeihung. Wir haben natürlich kein Recht, etwas Derartiges von Ihnen zu verlangen." Nach einer kurzen Pause fügte er hinzu: „Wir werden eine andere Lösung suchen."

Er zog seine Hand zurück. Die Atmosphäre im Raum hatte sich verändert, eine unsichtbare Schranke trennte plötzlich die beiden Männer. Die Stille nach den Worten des Pfarrers wurde unerträglich. Widmer erhob sich und ging, begleitet vom Hausherrn, hinaus. Der Abschied war kurz. Beim Händedruck trafen sich ihre Blicke nochmals. Das Gesicht des Priesters zeigte weder Trauer noch Enttäuschung.

Widmer ging über den Kirchplatz zu seinem Wagen, stieg ein und wendete, um auf die Strasse zu gelangen. Er schaute kurz zum Pfarrhaus hinüber. Der Pfarrer stand noch in der offenen Tür; eine hagere Gestalt, welche sich unscharf gegen das trübe Licht abhob, das aus dem Innern des Hauses kam.

Widmer fuhr nicht nach Hause, sondern nahm die Richtung ins Stadtzentrum. Er hoffte, die beklemmenden Bilder, die sein Hirn plagten, mit ein paar Drinks verjagen zu können. Beim Americano, einem modernen Hotel an der Avenida de la Libertad, parkte er seinen Wagen und begab sich in die Hotelbar, wo er sich an die Theke setzte und einen Gin Tonic bestellte. Das Lokal war mässig besetzt.

Er starrte über sein Glas hinweg auf die Flaschenbatterien an der Wand hinter der Bar. Mühsam versuchte er, seine Gedanken zu ordnen und mit den Erfahrungen der letzten Stunde fertigzuwerden.

Da war die makabre Geschichte von *Nueva Vida*, die Padre Ignacio ihm erzählt hatte, die Geschichte neuen Lebens, die gleichzeitig die Geschichte einer abgrundtiefen, die menschliche Vorstellungskraft sprengenden Korruption war. Ein wucherndes, faulendes Übel, dessen Herd im Regierungspalast selbst sass. Da war auch die Tatsache, dass der Pfarrer sich ihm, einem Fremden, blindlings anvertraut und ihn zum Mitwisser gemacht hatte, im Bewusstsein des Risikos, das er dabei einging.

Am meisten jedoch beschäftigte Widmer das Gefühl, sich auf recht erbärmliche Art von der ganzen Sache distanziert zu haben. Vom sicheren Standort des zwar interessierten, jedoch persönlich unbeteiligten Zuschauers hatte er mit ansehen können, wie General Emerson Costa-Medrano, der an der Spitze einer Gruppe rebellierender Offiziere die Befehlsgewalt übernommen hatte, das Land endgültig in Ketten legte. Waren viele der verfassungsmässig garantierten Grundrechte der Bevölkerung bereits von vorhergehenden Regierungen ignoriert worden, so wurden jetzt auch die noch verbliebenen Freiheiten aufgehoben. Gewerkschaften und politische Parteien wurden verboten, ihre Führer aus dem Land gejagt oder umgebracht, wie es sich gerade ergab. Die Presse wurde unter strengste Zensur gestellt und Journalisten, die bis anhin versucht hatten, hier und dort noch liberale Standpunkte zu vertreten, schwebten von nun an in höchster Lebensgefahr. Manche verschwanden einfach und man hörte nie wieder von ihnen. Wer sich in irgend einer Form gegen das Regime äusserte, machte sich staatsfeindlicher Umtriebe schuldig und wurde verhaftet. Menschen wurden von bewaffneten Männern in Zivil, welche sich nie über irgenwelche Befugnisse auswiesen, von zu Hause, vom Arbeitsplatz oder von der Strasse weggeführt. Die wenigsten kehrten zurück, und wenn, dann bloss als Abschreckung für jene, die sie sahen. In den Kellerräumen des *Campo Central* und anderer Armeegefängnisse wurde keinen Wert darauf gelegt, sichtbare Spuren der Behandlung, welche die Eingekerkerten über sich ergehen lassen mussten, zu vermeiden. Folter und Mord waren Mittel, um das Volk zu disziplinieren. Denunzianten lebten gut, und die Armee kontrollierte jeden Winkel des Landes. An Widerstand war nicht zu denken.

Als ausländischer Besucher konnte man sich vom Glanz des modernen Geschäftszentrums Resistencias faszinieren lassen. Inmitten der eleganten, aus Glas und Stahl gebauten Büropaläste der ausländischen Multis, in den feinen Restaurants und mondänen Boutiquen und Nachtclubs der Oberschicht begegnete man ihnen nicht, den Arbeits- und Besitzlosen, den seit Generationen Unterernährten, welche dazu verdammt waren, sich ein Leben lang nach einer sättigenden Mahlzeit zu sehnen und schliesslich frühzeitig zu krepieren. Wer nicht wollte, brauchte die stählernen Klammern nicht zu sehen, in denen das Land sich wand.

Widmer bestellte noch einen Gin. Er hasste sich selbst und wünschte gleichzeitig, er hätte den Pfarrer von San Miguel nie kennengelernt. Nach dem heutigen Abend musste er sich eingestehen, dass sein Engagement für die Freiheit anderer blosse Theorie blieb. Die Erkenntnis, ein Feigling zu sein, war ihm unerträglich. Beim Versuch, Minga vor den Kugeln der Militärstreife zu retten, hätte er wohl selbst getroffen werden können. Da hatte er unwillkürlich gehandelt, wie jemand, der, ohne auf die ihm selbst drohende Gefahr zu achten, spontan in einen Fluss springt, um einen Ertrinkenden zu retten. Hier jedoch ging es um eine andere Art Mut. Er war aufgefordert worden, in einem ihm fremden Spiel mitzumachen und sich als Kurier zu betätigen für Leute, die er nicht kannte. Wusste er denn, ob man ihn nicht mit einer erfundenen Geschichte für ganz andere Zwecke hatte einspannen wollen? Ob die Papiere, die er hätte befördern sollen, wirklich das enthielten, was man ihn glauben machen wollte?

Er verwarf seine Zweifel. Sie waren ohnehin bloss Entschuldigungen, mit denen er sein schlechtes Gewissen zu besänftigen versuchte. Tief in seinem Herzen wusste er, dass der Pfarrer ihm die Wahrheit erzählt hatte.

Widmer war nicht besonders trinkfest. Mehr als zwei Gins hintereinander trank er selten, doch nun hatte er bereits den vierten vor sich stehen. Während Mingas flehende, sich überschlagende Stimme noch in seinen Ohren nachklang – „Schnell, um Gottes willen, Herr, machen Sie schnell!“ –, erinnerte er sich an das Gesicht des Pfarrers, als er ihn heute abend verlassen hatte: gefasst und ergeben. Für Padre Ignacio war die Sache erledigt.

In Widmer tobte ein stiller, dafür um so heftigerer Kampf. Schliesslich glitt er vom Barhocker und ging ins Foyer hinaus, wo sich ein Münztelefon befand.

Der Pfarrer meldete sich sofort. Beinah, als hätte er neben dem Telefon gesessen.

„Ich freue mich, dass Sie uns helfen wollen“, sagte er. „Ich werde Sie über das Datum der Übergabe rechtzeitig informieren.“

Während Widmer zu seinen Platz an der Bar zurückkehrte, beschlich ihn das dumpfe Gefühl, auf den alten Padre hereingefallen zu sein. Es schien tatsächlich, als hätte dieser seinen Anruf erwartet.

Padre Ignacio rief drei Tage vor Widmers geplanter Abreise an. Das Gespräch war kurz.

„Können Sie morgen abend kommen?“

„Um wieviel Uhr?"
„Elf Uhr dreissig."
„Mitten in der Nacht?"
„Aus Sicherheitsgründen für ‚S'."
„Also gut, um elf Uhr dreissig."

Der Tag, an dem Widmer seine Verabredung mit dem Pfarrer hatte, war zugleich sein letzter Arbeitstag in der Botschaft. Es war Abend, und Widmer hatte seinen Schreibtisch zum letzten Mal aufgeräumt. Er stand am Fenster und schaute nachdenklich durch die Scheiben auf die Strasse hinunter zum Tor, das verschlossen gewesen war, als es hätte weit offenstehen müssen. Er würde El Luchador nie vergessen. Hier war er mit einer Dimension der Gewalt konfrontiert worden, wie er sie während zehn Jahren diplomatischen Dienstes in verschiedenen Ländern nie erlebt hatte. In El Luchador regierte ein Übel, dessen Wurzeln so alt waren wie die Menschheit selbst, und die immer dort zu spriessen begannen, wo Menschen ihrer Gier nach Macht ungehindert freien Lauf lassen konnten.

Widmer riss sich von seinen düsteren Gedanken los und sah sich in seinem Büro noch einmal um. Die Schränke waren abgeschlossen, die Schreibtischplatte leer bis auf das Telefon und die ledergefasste Schreibunterlage. Er trat auf den Korridor hinaus und zog die Tür hinter sich zu.

Als er sein Auto um elf Uhr fünfundzwanzig auf dem Kirchplatz parkte, stand da noch ein weiterer Wagen. Widmer nahm seine Aktentasche vom Beifahrersitz, stieg aus und ging zum Pfarrhaus hinüber. Wieder öffnete Padre Ignacio selbst die Tür. Er hatte auch diesmal dafür gesorgt, dass er mit seinem Besuch allein im Haus war.

In der Stube stand ein etwa fünfundfünfzigjähriger Mann in einem leichten, dunkelblauen Anzug, und schaute dem Schweizer entgegen. Widmer erkannte ihn trotz der

Zivilkleidung vom Fernsehen und von Zeitungsfotos her sofort und konnte seine Überraschung kaum verbergen. Vor ihm stand General Romero Lucas Segura, Oberbefehlshaber der luchadorianischen Luftwaffe. Der Offizier war mittelgross und schlank, mit schwarzem, nach hinten gekämmtem Haar, das an den Schläfen ergraute. Seine scharf geschnittenen Gesichtszüge mit dem strengen Mund verrieten den ans Befehlen gewohnten Kommandanten. Während sie sich, vom Pfarrer gegenseitig vorgestellt, die Hand reichten, schaute er Widmer aus klaren Augen durchdringend an.

„Wir sind Ihnen sehr dankbar, dass Sie sich uns zur Verfügung stellen wollen, Señor", sagte er. Widmer fielen keine geeigneten Worte ein; er nickte nur. Padre Ignacio hatte sich zur Zimmertür zurückgezogen und schaute mit vor der Brust verschränkten Armen herüber. Segura öffnete ein schmales Diplomatenköfferchen, das auf dem Tisch lag, und entnahm ihm zwei unterschiedlich grosse Umschläge. Der grössere schien ein Bündel Papiere zu enthalten und war versiegelt. Beim andern handelte es sich um einen gewöhnlichen Briefumschlag, auf dem der Name Jacques Lambert und die Basler Hauptadresse der Schweizerischen Bankgesellschaft stand. General Segura reichte ihn Widmer und sagte: „Dieser Umschlag enthält einen Brief für die Bank mit Anweisungen, was mit den Papieren zu geschehen hat."

Widmer fiel auf, dass Padre Ignacio zu weit entfernt stand, um das Geschriebene lesen zu können. Eine selbstverständliche Vorsichtsmassnahme, um das Unternehmen nicht unnötig zu gefährden? Widmer erinnerte sich an die Worte des Pfarrers bei seinem ersten Besuch, als sie über Minga gesprochen hatten: Wer nichts wusste, konnte nicht zum Verrat gezwungen werden.

„Und dies sind die Dokumente." Segura legte den grossen

Umschlag vor Widmer auf den Tisch. „Wann fliegen Sie ab?“

„Sonntag.“

„Das bedeutet, dass Sie im Laufe des Montags in Zürich ankommen werden. Es ist ausserordentlich wichtig, dass Sie die Papiere noch am selben Tag abliefern, da ich selbst dann bereits unterwegs in die Schweiz sein werde. Die Umstände zwingen mich allerdings zu einem Umweg, so dass sich der Tag meiner Ankunft nicht genau voraussagen lässt.“

„Ich werde mein Möglichstes tun.“

Widmer steckte beide Umschläge in die mitgebrachte Aktentasche und verschloss diese. Die Szene kam ihm irgendwie unwirklich vor. Er gehörte nun tatsächlich zu einer Verschwörung. Er war nicht mehr neutral, sondern hatte Partei ergriffen. Einer der Grundsätze der Aussenpolitik seines Landes kam ihm in den Sinn. Die Schweizer Botschafter im Ausland hatten die Pflicht, regelmässig über die Entwicklung der Menschenrechte in den Ländern zu berichten, in denen sie akkreditiert waren. In Fällen schwerer Menschenrechtsverletzungen dienten die so gesammelten Informationen der Regierung in Bern dazu, über Zweckmässigkeit und Form von Interventionen zugunsten der Einhaltung der Menschenrechte zu entscheiden. Widmer wusste wohl, dass damit nicht das gemeint war, was er im Begriff war zu tun. Doch der Mensch konnte in eine Situation geraten, aus der es keine Flucht in die Unbeteiligtheit, in die Neutralität mehr geben konnte, sondern wo sowohl Handeln wie auch Nichthandeln Partei bedeutete. Dann musste er zwischen zwei Fronten wählen. Er, Widmer, hatte gewählt.

Eine Frage beschäftigte ihn noch, und er schaute den General an. „Angenommen, ich hätte mich geweigert mitzumachen oder würde nicht zufällig in diesen Tagen in die Schweiz zurückfliegen?“

„Dann wäre das Risiko, dass das Unternehmen scheitert, zweifellos grösser. Man wird mit allen Mitteln versuchen, mich am Besuch des Kongresses zu hindern. Deshalb ist es wichtig, dass die Kopie meines Berichtes bereits in der Schweiz ist, wenn ich El Luchador verlasse. Meine Chancen, durchzukommen, werden dann um einiges besser sein."

„Hätten Sie nicht jemand anderen mit den Unterlagen in die Schweiz senden können?"

„Sie können sich ja vorstellen, dass sich mein Bekanntenkreis nicht unbedingt aus Leuten zusammensetzt, die für eine solche Mission in Frage kämen. Glauben Sie mir, Señor Widmer, ausser Ihnen und Padre Ignacio kenne ich buchstäblich keinen Menschen, dem ich in dieser Angelegenheit vertrauen könnte."

„Aber Sie kennen mich nicht. Wie können Sie sicher sein, dass ich Sie nicht verraten werde?"

„Wir hatten nicht viel Zeit, uns darüber Gedanken zu machen", mischte sich der Pfarrer ins Gespräch ein. Er war wieder nähergetreten, nachdem Widmer die beiden Umschläge weggesteckt hatte. Ernst fuhr er fort: „Sie sind kein Verräter, Señor. Als ich Sie vor einigen Tagen hier in diesem Raum in General Seguras Plan einweihte, wusste ich, dass wir höchstens eine Absage riskierten. Nicht nur die Tatsache, dass Sie übermorgen nach Hause fliegen, hat mich dazu bewogen, mit dem General über Sie zu sprechen. Ihr Verhalten in der Sache mit Carlos Minga hat mich davon überzeugt, dass wir uns Ihnen anvertrauen dürfen."

„Ausserdem mussten wir uns rasch entscheiden", fügte Segura hinzu. „Der AI-Kongress beginnt nächste Woche. Als Padre Ignacio Sie vorschlug, sagte ich sofort zu und verliess mich dabei ganz auf seinen Instinkt und seine Menschenkenntnis. In gewissen Situationen bleibt einem nichts anderes übrig, als jemandem zu vertrauen, ohne Rückversicherung und mit nichts als der Hoffnung, die richtige Entscheidung getroffen zu haben."

Widmer erwiderte nichts darauf. In der kurzen Pause, die entstand, ergriff er seine Aktentasche und sagte: „Viel Glück, General."

„Ich danke Ihnen, Señor." Sie drückten sich die Hand. Als sich ihre Blicke trafen, dachte Widmer daran, dass das Gelingen des gesamten Unternehmens eigentlich zum grössten Teil von seiner Zuverlässigkeit abhing. Das Leben des Mannes vor ihm lag praktisch in seiner Hand.

Der Pfarrer geleitete ihn zur Haustür, wo sie sich ebenfalls die Hand reichten; zum dritten Mal innert wenigen Tagen. Diesmal jedoch war der Abschied endgültig.

„Ich wünsche Ihnen einen guten Flug, Señor Widmer."

„Ihnen auch alles Gute, Padre."

Obwohl Ignacio Gomez' Vertrauen in die göttliche Allmacht längst schwer erschüttert war, konnte er nicht anders, als dem Schweizer, der über den dunklen Platz zu seinem Wagen ging, im Stillen seinen Segen nachzusenden.

„Hilf uns wenigstens dieses eine Mal, Herr ... !" flüsterte er. Dann schloss er die Tür und ging zu Segura zurück. Der General hatte seinen Diplomatenkoffer vom Tisch genommen und hielt ihn mit seiner Linken.

„Ich werde jetzt auch besser gehen", sagte er.

Padre Ignacio schaute ihn aus ernsten Augen an „Ich hoffe, es wird Ihnen gelingen, die Welt auf uns aufmerksam zu machen, General."

Segura senkte seinen Blick. Das Schicksal hatte sie beide vor einiger Zeit als Feinde zusammengebracht, und nun trennten sie sich zwar als Verbündete, jedoch nicht als Freunde. Als er aufschaute, waren die Augen des weisshaarigen Alten immer noch auf ihn gerichtet, und hätte Widmer den General jetzt gesehen, so wäre er überrascht gewesen über die Veränderung in dessen Gesichtsausdruck, über den merkwürdig flehenden Blick, mit dem der Offizier den Priester ansah. Segura hätte Padre Ignacio zum Abschied gerne um etwas gebeten, das dieser ihm bisher verwehrt hatte, etwas für ihn Wichtiges. Er dachte an die Nacht, in der er, am Ende einer Irrfahrt, dem Geistlichen zum ersten Mal begegnet war und ihm gebeichtet hatte. Padre Ignacio hatte ihn wohl angehört, jedoch . . .

Er gab sich einen Ruck.

„Es wird mir gelingen, Padre", sagte er und ging am Pfarrer vorbei aus dem Zimmer.

Padre Ignacio stand reglos da, mit hängenden Schultern jetzt, da er allein war. Die Kraft, welche ihn bis jetzt aufrechtgehalten hatte, schien aus ihm gewichen zu sein. Er hörte, wie die Haustür geöffnet und wieder geschlossen wurde, und wie kurze darauf draussen ein Automotor ansprang. Das Motorgeräusch entfernte sich rasch, und als es verklungen war, liess er sich endlich auf einen Stuhl am Tisch nieder. Auch er kehrte, wie Segura vor wenigen Minuten, in Gedanken zu jener Nacht zurück, als er den General in seiner Kirche vorgefunden und ihm auf dessen Bitte die Beichte abgenommen hatte. Er war müde und wusste nicht, ob er nun wieder hoffen durfte. Ihm war weder genug Glaube noch die Kraft geblieben, um seine Arbeit fortzusetzen. Nach all den Jahren, während denen er selten mehr hatte tun können als trösten, fragte er sich, wie, wozu und, vor allem, womit er noch trösten sollte. Dass das Leben nach dem Tode erst begann? Dass jene, die schuld waren am Elend des Volkes am Ende allesamt zur Hölle fuhren? Was half das der Witwe und den Kindern des erschossenen Carlos Minga? Er dachte an Inés, eine junge Frau, die zwei Strassen weiter wohnte. Ihr Mann war beim Aufhängen von Plakaten mit regierungsfeindlichen Parolen von der Polizei erwischt worden und galt seither als *desaparecido*, als Verschollener. Konnte man ihr – Padre

Ignacio hatte seine moralischen Werte längst der herrschenden Realität angepasst – als Sünde vorwerfen, was in Wirklichkeit für sie die einzige Chance war, sich und ihr sechsjähriges Kind durchzubringen: die Lüsternheit der Touristen, Offiziere und Geschäftsleute in den Vergnügungslokalen des Stadtzentrums? Oder Ramón, der Gewerkschafter, der nach langer Haft körperlich und seelisch verstümmelt wieder aufgetaucht war. Sollte man ihm sagen: „Verlier nicht den Mut, denn dein Opfer war nicht umsonst!“? Wie konnte man Menschen trösten, wenn man wusste, dass das an ihnen begangene Unrecht sich wiederholen würde, immer wieder, ohne Ende!

Padre Ignacio wunderte sich, welche Todsünde sein Volk wohl begangen haben mochte, um derart bestraft zu werden.

„Mein Gott“, flüsterte er und schaute mit vor körperlicher und seelischer Erschöpfung brennenden Augen zum hölzernen Kruzifix an der Wand über seinem Bett, „ich glaube, du weisst es selbst nicht!“

IV

Um sechzehn Uhr dreissig, nach dreizehnstündigem Flug, durchschritt Widmer auf dem Flughafen Zürich-Kloten die Einreisekontrolle. Am Bahnschalter in der Ankunftshalle gab er sein Gepäck zur Weiterbeförderung nach Bern auf. Nur die schmale, lederne Aktentasche, in welcher sich Seguras Papiere befanden, behielt er bei sich. Anschliessend begab er sich zum Telefonamt, welches sich in derselben Halle befindet, und suchte aus einem Verzeichnis die Nummer des Basler Regionalhauptsitzes der Schweizerischen Bankgesellschaft heraus. Er liess sich von der Schalterbeamtin eine Sprechzelle zuweisen und rief an. Nachdem ihn die Telefonistin der Bank mit Lambert verbunden hatte, sagte er, wer er war und von wo er anrief. Dann fuhr er fort: „Ich bin soeben aus Resistencia hier eingetroffen und muss Sie in einer besonderen Angelegenheit sprechen."

„Worum handelt es sich, Herr Widmer?" Die Stimme am anderen Ende verriet höfliches Interesse.

„Ein Bekannter hat mir einige Papiere mitgegeben mit der Bitte, diese bei Ihrer Bank zu hinterlegen. Besteht die Möglichkeit, dies heute noch zu erledigen?"

„Unsere Schalter sind leider bereits geschlossen, doch wir können die Sache ja auch morgen früh abwickeln, wenn Ihnen das recht ist."

„Ich wohne in Bern, was bedeutet, dass ich morgen eigens hiefür nach Basel fahren müsste."

„Sie können die Papiere natürlich auch bei unserer Berner Hauptgeschäftsstelle deponieren."

„Das wäre gegen meine Anweisungen. Für meinen Bekannten ist es sehr wichtig, dass sich die Papiere bei Ihnen befinden, da er in einigen Tagen selbst nach Basel kommen und sie wieder abholen wird. Ich wäre Ihnen wirklich sehr dankbar, Herr Lambert, wenn Sie die Dokumente noch heute von mir entgegennehmen könnten. Mit dem nächsten Zug wäre ich um sieben Uhr in Basel und könnte nach der Übergabe der Papiere nach Bern weiterreisen." Er hatte den Eindruck, als sei Lambert von dieser Idee nicht sonderlich begeistert. Vielleicht drohte sie sein Abendprogramm durcheinanderzubringen.

„Nun gut", kam es schliesslich zögernd durch die Leitung. „Ich erwarte Sie also um Viertel nach sieben."

„Ausgezeichnet."

„Die Bank ist um diese Zeit natürlich geschlossen. Kommen Sie zu mir nach Hause. Friedrich Oser-Strasse 25."

Widmer notierte sich die Adresse.

„Kennen Sie sich in Basel aus?" fragte Lambert.

„Nicht sehr gut. Ich werde am Bahnhof ein Taxi nehmen."

„Gut. Noch etwas, Herr Widmer: Wie ist der Name Ihres Auftraggebers?"

„Segura. Romero Lucas Segura."

„Segura. Also, bis später."

Um drei vor sieben fuhr der Zug aus Zürich in den Basler Hauptbahnhof ein, und Widmer begab sich zum Taxistandplatz vor dem Haupteingang.

Die Friedrich Oser-Strasse befindet sich auf dem Bruderholz, einer Anhöhe am südlichen Stadtrand, welche zu Basels bevorzugten Wohngegenden zählt. Der Taxifahrer hatte das Tempo gedrosselt, um in der hereinbrechenden Dunkelheit die Hausnummern besser lesen zu können. Vor einem zurückversetzten, zweistöckigen Einfamilienhaus mit einem kleinen Vorgarten hielt er an. Widmer bezahlte die Fahrt, stieg aus und ging über den mit Steinplatten ausgelegten Pfad zum Eingang. Er drückte die Klingel aus poliertem Messing. Der Mann, der ihm öffnete, war etwas kleiner als er selbst, um die vierzig, mit vollem, dunkelbraunem Haar. Mit einem Händedruck hiess er Widmer willkommen und bat ihn herein. Wenig später sassen sie sich in bequemen Ledersesseln in Lamberts Wohnzimmer gegenüber. Lambert offerierte Kaffee, doch Widmer lehnte dankend ab. Er war müde von der fünfzehnstündigen Reise und wollte nichts weiter, als seinen Auftrag ausführen und rechtzeitig für den nächsten Zug nach Bern wieder am Bahnhof sein.

Er entnahm seiner Aktentasche die beiden Briefumschläge, die er in Resistencia von Segura entgegengenommen hatte, legte den grösseren auf den Kaffeetisch und hielt den kleinen, der das Begleitschreiben enthielt, Lambert hin. Dieser überflog kurz die Anschrift und schlitzte das Kuvert mit einem Brieföffner auf. Er nahm ein Blatt Papier heraus, das er, während er sich in seinem Sessel zurücklehnte, entfaltete und las.

Sehr geehrter Mister Lambert,
der Überbringer dieses Schreibens wird einen versiegelten Umschlag an Sie abliefern. Der Umschlag ist in einem auf meinen Namen lautenden Schliessfach in Ihrer Bank zu deponieren.
Sollte ich den Umschlag nicht bis zum 19. dieses Monats persönlich abgeholt haben, ist er unverzüglich zur Veröffentlichung an Amnesty International weiterzuleiten. Die Gebühren für das Schliessfach wollen Sie bitte meinem Konto belasten.

Es folgten Kontonummer und Unterschrift Seguras. Lambert las den Brief zweimal. Es war eine ungewöhnliche Anweisung, doch im Laufe seiner Karriere als Bankmann hatte er schon weit seltsamere Dinge erlebt. Segura selbst war er nur einmal begegnet, vor einigen Monaten, als dieser in der Bank erschienen war, um ein Konto zu eröffnen. Lambert, der ihn damals bedient hatte, erinnerte sich schwach an ihr Gespräch und an die beiläufige Bemerkung des Südamerikaners, er befinde sich mit seiner Familie urlaubshalber in der Schweiz. Die Wahl der Bank war Zufall gewesen. Es leuchtete jedoch ein, dass Segura sich nun mit seinem neuen Auftrag dorthin wandte, wo er bereits Kunde war. Lambert wusste nicht, ob Widmer von Seguras Nummernkonto wusste, doch das war ja auch unwesentlich. Er nahm den dicken Umschlag vom Kaffeetisch und erhob sich. „Ich lege ihn lieber gleich in meinen Safe. Morgen früh werde ich ihn dann zur Bank mitnehmen."

Er ging aus dem Zimmer und kam wenig später mit einem Zettel zurück, den er Widmer überreichte. Es war eine Quittung für die Entgegennahme des versiegelten Umschlages. Widmer schaute auf seine Uhr.

„Würde es Ihnen etwas ausmachen, ein Taxi für mich zu bestellen?" fragte er. „Ich möchte den 8 Uhr-Zug erreichen."

„Ein Taxi ist nicht nötig. Ich muss ohnehin in die Stadt und kann Sie gleich bis zum Bahnhof mitnehmen."

Widmer nahm das Angebot dankbar an.

„Meine Frau und meine Tochter sind bereits vorausgegangen und erwarten mich in der Stadt", fuhr Lambert im Plauderton fort, während sie aus dem Haus und zu seinem Wagen gingen. „Wir sind mit Freunden zum Essen verabredet."

Widmer murmelte eine höfliche Entschuldigung dafür, Lamberts Feierabend gestört zu haben. Zehn Minuten später hielten sie am Hauptbahnhof, wo er sich verabschiedete und ausstieg. Als er schliesslich kurz nach neun in Bern ankam, erwarteten ihn auf dem Bahnsteig seine Eltern und sein Bruder. Er war froh, endlich zu Hause zu sein. Das Netz jedoch, das sich in El Luchador über ihn gelegt hatte und von dem er nichts ahnte, zog sich enger zusammen.

Die Maschine aus Resistencia landete um fünfzehn Uhr fünfzig Lokalzeit auf dem Flughafen Logan International von Boston, Massachusetts. In der Schweiz war es kurz vor zehn Uhr abends; eine knappe halbe Stunde war seit Widmers Ankunft in Bern verstrichen. Die von Romero Segura angeführte vierköpfige luchadorianische Delegation wurde in der Ankunftshalle von Joe Lindsay, einem Vertreter der Firma National Technologies, empfangen und zu zwei firmeneigenen Limousinen geführt. Die Fahrer liessen die Besucher einsteigen und verstauten deren Reisegepäck. Lindsay setzte sich auf den vorderen Mitfahrersitz des Wagens mit Segura und dem stellvertretenden Delegationsleiter Deloso. Während der Fahrt zum Back Bay Hilton im Stadtzentrum drehte er sich zu seinen Fahrgästen im Fonds um. „Das Essen findet wie geplant um acht Uhr statt, meine Herren. Wir werden Sie im Hotel abholen und später wieder hinbringen."

„Ausgezeichnet, danke", antwortete Segura, der keineswegs die Absicht hatte, an dem Essen teilzunehmen, welches die National Technologies zu Ehren ihrer südamerikanischen Kunden in einem der besten Restaurants der Stadt arrangiert hatte.

„Zu den Vorführungen morgen werden wir Sie um halb neun abholen", fuhr Lindsay fort. „Es sei denn, Sie wünschen eine Änderung des vorgesehenen Programmes."

Segura schüttelte den Kopf. „Von uns aus kann der Fahrplan sehr wohl eingehalten werden." Er würde ohnehin nicht dabei sein.

Lindsay nickte zufrieden und schaute wieder nach vorn. Die Luchadorianer waren hier, um sich das neue Zielsuchgerät für Kampfflugzeuge anzusehen, welches die National Technologies entwickelt hatte. Während jedoch Lindsays Gedanken sich um die Vorführungen und Verhandlungen der kommenden Tage drehten, dachte Segura an ganz andere Dinge. Seine Pläne für den weiteren Verlauf des Abends wichen erheblich von den Vorstellungen seiner Reisebegleiter und von denen Lindsays ab. Er hatte die Wahl zwischen dem Swissair-Flug nach Zürich um siebzehn Uhr fünfundvierzig und der Lufthansa-Maschine nach Frankfurt, die eine Viertelstunde später startete. Unsicherheit darüber, zu welchem Flug es ihm zeitlich reichen würde, und Bedenken, sich zu verraten, hatten ihn daran gehindert, bereits von zu Hause aus zu buchen. Er würde den Flugschein unmittelbar vor dem Abflug kaufen und sich darauf verlassen müssen, dass die Transatlantikflüge von Nordamerika nach Europa in der Regel nicht ausgebucht waren.

Seine rechte Hand ruhte wie zum Schutz auf dem schwarzen Aktenkoffer, der zwischen ihm und Deloso auf dem Sitzpolster lag.

Die Fahrt dauerte eine Viertelstunde. Im Hotel überzeugte sich Lindsay, dass die Gäste mit den für sie reservierten Zimmern zufrieden waren. Danach verabschiedete er sich mit dem Hinweis, die Herren um Viertel nach sieben Uhr für das Essen abzuholen.

Segura stand am Fenster seines Zimmers im zwanzigsten Stockwerk und schaute durch die getönten Scheiben auf die Stadt hinunter, die Hände in den Taschen seines Mantels, den er zwar aufgeknöpft, jedoch noch nicht ausgezogen hatte. Hinter ihm, in der Mitte des Raumes, stand sein Reisegepäck und sein schmales, dunkles Aktenköfferchen. Er hoffte, dass seine Begleiter, welche Zimmer links und rechts von ihm hatten, diese während den nächsten zehn bis fünfzehn Minuten nicht verlassen würden.

Als er genug Zeit hatte verstreichen lassen, so dass er annehmen konnte, Lindsay habe das Hotel verlassen, ergriff er den Aktenkoffer und ging zur Tür. Er tat einen tiefen Atemzug und trat auf den Korridor hinaus. Bei den

Aufzügen musste er warten und spürte, wie sein Pulsschlag sich beschleunigte. Dann glitten die Türen eines Fahrstuhls beinah lautlos auseinander und er betrat schnell die Kabine. Unten angekommen, durchquerte er die weitläufige Hotelhalle und trat ins Freie. Ein Türsteher schaute ihn an.

„Taxi, Sir?"

„Nein, danke."

Segura eilte an ihm vorbei in Richtung Taxistandplatz, den er bei seiner Ankunft gesehen hatte und der nicht weit vom Hoteleingang entfernt war. Er wollte sich keine Sekunde länger als notwendig in der Nähe des Hotels aufhalten. Eine Anzahl Taxis warteten am Strassenrand auf Fahrgäste, während die Fahrer beisammenstanden und sich unterhielten. Als Segura beim ersten Wagen stehen blieb, löste sich ein Mann aus der Gruppe und kam auf ihn zu.

„Logan International", sagte Segura und stieg hinten ein. Der Fahrer nickte, setzte sich ans Steuer und fuhr los. Der herrschende Stossverkehr erinnerte daran, dass für die Menschen in den Bürokomplexen der City ein Arbeitstag zu Ende war.

„Ich zahle Ihnen den doppelten Fahrpreis, wenn Sie es in Rekordzeit schaffen", sagte Segura.

Der Fahrer schüttelte den Kopf. „Sie haben sich die falsche Tageszeit ausgewählt, Mister. Schauen Sie sich doch nur mal den Verkehr an! Ausserdem: Wissen Sie, was mich eine Geschwindigkeitsübertretung kostet, wenn wir in eine Polizeikontrolle geraten?"

„Wenn Sie erwischt werden, zahle ich Ihnen zusätzlich den doppelten Betrag dessen, was die Busse ausmacht."

Der Taxifahrer rechnete in Gedanken kurz nach und fand, dass sich das Risiko lohnte. Als er zwischen den Autos vor sich eine Lücke erspähte, drückte er aufs Gas.

Sie erreichten den Flughafen um zehn nach fünf, zu spät für den Swissair-Flug.

„Schneller ging's nicht, Mister“, sagte der Fahrer.

„Schon gut. Sie haben Ihr Möglichstes getan.“ Segura drückte ihm einige Banknoten in die Hand und stieg aus. Er betrat die Abflughalle und ging zum Schalter der Lufthansa.

„Haben Sie noch einen Platz in der 18.00 Uhr-Maschine nach Frankfurt?“ fragte er die uniformierte Angestellte. Diese begann auf der Tastatur ihres Bildschirmcomputers zu tippen.

„Es sind noch Plätze frei, Sir. Möchten Sie Erste, Business- oder Touristenklasse?“

„Erste Klasse, Nichtraucher.“

Augenblicke später lag der Flugschein vor ihm, und er schob seine Amexco-Kreditkarte über den Zahltisch. „Wo kann ich hier Telegramme aufgeben?“

Sie erklärte es ihm. „Da müssen sie sich aber beeilen, Sir“, sagte sie zum Schluss. Er nickte, wartete ungeduldig, bis sie ihm die Kreditkarte zurückgab, ergriff den Flugschein, bedankte sich und eilte davon. Das gewohnheitsmässige „Guten Flug, Sir“ der Angestellten hörte er schon nicht mehr.

Nach der telefonischen Mitteilung, dass noch ein Passagier unterwegs sei, hatte man auf ihn gewartet. Buchstäblich in letzter Sekunde kam er raschen Schrittes durch den schmalen Zusteigetunnel an Bord der DC 10. Während ihn eine Stewardess zu seinem Sitz führte, wurde hinter ihm die Einstiegsluke geschlossen, und die Maschine begann, langsam vom Dock wegzurollen.

Die drei Luchadorianer sassen an einem der niedrigen Clubtische in der Hotelbar neben dem Foyer, unterhielten sich in gedämpftem Ton und nippten an ihren Gläsern. Es war kurz nach neunzehn Uhr, Lindsay würde bald kommen. Deloso ging zum Telefon und wählte die Nummer von Seguras Suite. Vielleicht hatte der General sich etwas hingelegt und war eingeschlafen. Als niemand antwortete, ging Deloso zu den anderen zurück, sprach ein paar Worte und fuhr mit dem Aufzug hinauf. Er klopfte ein paarmal an Seguras Tür. Schliesslich drehte er den Türknauf, stiess die Tür langsam auf und trat ein. Der Schlüssel steckte von innen, und mitten im Zimmer stand Seguras unausgepackter Reisekoffer. Deloso öffnete die Schränke und Schubladen. Es fiel ihm auf, dass Seguras Mantel und Aktenkoffer fehlten. Er überlegte einen Augenblick lang, dann verliess er das Zimmer und fuhr wieder in die Empfangshalle hinunter, wo er sich zum Ausgang begab und mit dem Türsteher zu sprechen begann. Ja, nickte dieser auf Delosos Frage, er erinnere sich an einen offensichtlich sehr eiligen Herrn, auf den die Beschreibung passe und der ein Aktenköfferchen bei sich getragen habe. Er sei ihm aufgefallen, fuhr der Portier fort, weil er auf die Frage, ob er ein Taxi wünsche, mit nein geantwortet habe, dann aber zum nahen Taxistandplatz gegangen und dort in einen Wagen gestiegen sei.

Deloso gab dem Mann ein Trinkgeld und ging, aufs höchste beunruhigt, zum Taxistandplatz. Er sprach mit den Fahrern der fünf in zwei Reihen parkierten Wagen, doch der Mann, der Segura gefahren hatte, war offenbar nicht unter ihnen. Deloso eilte zurück ins Hotel. Als er in seinem Zimmer ankam, war er kreidebleich. Er ging zum Telefon und wählte die Nummer der luchadorianischen Botschaft in Washington. Dort war bereits Büroschluss, doch sein Anruf wurde automatisch umgeleitet. Nach einem kurzen Gespräch mit dem Kontaktmann der Botschaft nahm er erneut den Fahrstuhl nach unten. Das Essen musste verschoben werden. Die Delegation würde das Hotel nicht verlassen, bis Segura wieder auftauchte, oder bis man wusste, was sein Verschwinden bedeutete. Auf dem Weg zur Bar überlegte Deloso, was er Lindsay erzählen sollte.

In der Zwischenzeit wandte sich die luchadorianische Botschaft in Washington mit dem Ersuchen an die amerikanischen Sicherheitsbehörden, ihr bei den Nachforschungen nach Segura behilflich zu sein. Die Bitte hatte rein inoffiziellen Charakter, da es vorläufig keinerlei Hinweise darauf gab, dass es sich beim Verschwinden des luchadorianischen Generals um ein Verbrechen handeln könnte. Das FBI erkundigte sich routinemässig als erstes beim Internationalen Flughafen von Boston, und um halb neun Uhr erhielt Deloso einen Anruf von der Botschaft, der ihn über Seguras Verbleib ins Bild setzte. Gleichzeitig wurde in Resistencia der Geheimdienst DGI – *Directión General de Inteligencia* – eingeschaltet. Der luchadorianische Botschafter in Bonn erhielt telefonisch verschlüsselte Anweisungen.

V

Sie hatten ihre vorgeschriebene Reisehöhe erreicht, und durch die Bordsprechanlage kam die Stimme des Flugkapitäns, der routinemässig die Passagiere an Bord willkommen hiess und ihnen einen angenehmen Flug wünschte. Segura lockerte seinen Sitzgurt und entspannte sich. Das gedämpfte Dröhnen der Triebwerke schien ihm bestätigen zu wollen, dass es für ihn nun, da er den seit Monaten geplanten Schritt endlich vollzogen hatte, kein Zurück mehr gab. Ob er sein Land je wiedersehen würde, hing vom Erfolg der Mission ab, die er sich selbst auferlegt hatte.

Seine Frau Maria war noch beim Abschied vor seiner Abreise nach Boston völlig ahnungslos gewesen. Er hatte weder sie noch ihren gemeinsamen Sohn Rafael, der an der Militärakademie das Handwerk seines Vaters erlernte, in seine Pläne eingeweiht. Sie wussten nichts über *Nueva Vida*, und hätte er versucht, ihnen die Zusammenhänge und den Grund seines inneren Wandels zu erklären, wäre er bei ihnen wohl nur auf Unglauben und Unverständnis gestossen. Sie hätten ihm nicht glauben wollen, um nicht das ganze System, auf dem ihr Lebensstil beruhte, in Frage stellen zu müssen. Für seine aus einer alteingesessenen Familie von Grossgrundbesitzern stammende Frau hätte sein Verhalten Verrat bedeutet; Verrat an ihr, an seiner Umgebung und an allen Menschen der Gesellschaftsklasse, zu der sie beide gehörten und deren Schutz und Erhaltung als Einziges zählte. In ihrer Enttäuschung und seelischen Not hätte sie bei Freunden oder bei ihrer Familie Hilfe gesucht und ihn dabei zerstört.

Was seinen Sohn betraf, so musste Segura sich eingestehen, dass ihm der Junge eigentlich fremd war. Rafael hatte seine Schuljahre in den konservativsten in- und ausländischen Erziehungsinstituten verbracht, und nun, da er sich, der Familientradition folgend, auf die Offizierslaufbahn vorbereitete, war seine politische Indoktrination bereits zu weit fortgeschritten, als dass sein Vater es noch hätte riskieren dürfen, sich ihm anzuvertrauen.

Seguras Ehe mit Maria war von Anfang an nie mehr gewesen als eine auf starker gegenseitiger Sympathie beruhende Lebensgemeinschaft. Die beiden hatten vorwiegend der Konventionen wegen geheiratet. Diese Erwartungen und ungeschriebenen Gesetze einer nach aussen durch und durch puritanischen Gesellschaftsschicht hatten später auch einer Scheidung im Weg gestanden. Die beiden Ehegatten waren sich jedoch über all die Jahre, wenn auch nicht mit überschwenglicher Liebe, so doch mit grossem gegenseitigem Respekt begegnet, hatten in stiller Übereinkunft versuchte, aus einer unabänderlichen Situation das beste zu machen. Dank dieser Selbstdisziplin war es ihnen möglich gewesen, ihre gesellschaftliche Rolle stets korrekt zu spielen.

Segura wollte seiner Frau und seinem Sohn aus der Schweiz schreiben und ihnen die Beweggründe für seine Handlungsweise darlegen. Er hoffte zutiefst, beide in einer neuen politischen Ordnung wiederzusehen, unter Voraussetzungen, welche den Menschen erlauben würden, offen miteinander zu reden. In den vergangenen Monaten wäre er für die Nähe eines treuen Freundes, dem er sich hätte anvertrauen können, besonders dankbar gewesen. Die innere Einsamkeit, in welche er sich durch seinen Entscheid selbst versetzt hatte, war zeitweilig sogar für einen Menschen mit der eisernen Selbstdisziplin Seguras unerträglich.

Auch Padre Ignacio hatte das Verlangen nach Verständnis und Zuneigung in ihm nicht stillen können. Trotz der vielen nächtelangen Gespräche, welche nicht selten die

Form von hitzigen Diskussionen angenommen und schliesslich zur völligen inneren Abwendung Seguras von dessen bisherigen Idealen geführt hatten, war ihre Beziehung stets ein reines Zweckbündnis geblieben. Segura wusste, dass er nicht erwarten durfte, nun plötzlich mit derselben Intensität geliebt und verehrt zu werden, mit der er als Offizier der luchadorianischen Armee gehasst und gefürchtet worden war. Er würde sich nie reinwaschen können von seiner Vergangenheit. Das Wichtigste für ihn als Mann der eisernen Ordnung war der Kampf gegen die Unterwanderung der Gesellschaft durch regierungsfeindliche, die innere Stabilität des Landes bedrohende Elemente gewesen. Bis er eines Tages von der Organisation *Nueva Vida* erfuhr, und dies auf eine Art und Weise, welche ihn buchstäblich bis in die Tiefe seines Herzens erschütterte. In der darauffolgenden, qualvollen Zeit der Selbstsuche und Neuorientierung kam er zum Schluss, dass ein auf Härte beruhendes, diktatorisches System, auf welche Seite es auch ausgerichtet sein mochte, nicht nur die in ihm lebenden Menschen zu Radikalisierung, Hass und Auflehnung geradezu erzog; in seinem Schutz konnte sich zudem eine Eigendynamik des Verbrechens bilden, welche nur auf eine Art unterbrochen werden konnte: Man musste das System zerstören, dass sie ermöglicht hatte.

Die Stimme der Stewardess riss Segura aus seinen Gedanken.

„Möchten Sie sich etwas zum Abendessen aussuchen, Sir?“ Sie hielt ihm eine Speisekarte hin, die er, dankbar für die Ablenkung, entgegennahm und zu studieren begann.

Noch während das Flugzeug mit Segura an Bord nach Frankfurt unterwegs war, durchsuchten in Resistencia Agenten des militärischen Sicherheitsdienstes das Büro des Deserteurs im Hauptquartier der Luftwaffe. Da es bereits spät abends war, wurde für die engsten Mitarbeiter des Generals ein Suchbefehl erlassen, laut dem sie sich sofort im Hauptquartier zur Befragung einzufinden hatten. Eine Gruppe Männer fuhr zu seinem Heim im Villenviertel, um mit seiner Frau zu sprechen. Als die Señora erfuhr, was geschehen war, erlitt sie einen Nervenzusammenbruch.

Die Agenten durchsuchten das ganze Haus. Sie arbeiteten sich durch sämtliche Räume und unterzogen auch Seguras Kleider einer peinlich genauen Inspektion. In der Jackentasche einer seiner zahlreichen Uniformen fanden sie einen kleinen Zettel, auf dem ein paar handgeschriebene Worte standen: Carlos Minga – Campo C.

Der Kommandant des *Campo Central*, Hauptmann Tacquieri, hielt sich in einem Offizierscasino der Stadt auf, als ihn um elf Uhr nachts der Befehl erreichte, sich unverzüglich in sein Büro zu begeben. Als er dort eintraf, wurde er von einem Sicherheitsbeamten erwartet, der ihn über den Namen Minga befragte. Er erinnerte sich gleich an den Fall und erzählte, dass vor ungefähr zehn Tagen General Segura – ja, der Luftwaffenkommandant – sich nach einem gefangenen Rebellen namens Minga erkundigt habe. Er, Tacquieri, habe ihm wahrheitsgetreu mitgeteilt, dass ein Gefangener dieses Namens noch in der Nacht seiner Einlieferung den Verletzungen erlegen sei, die er sich zugezogen hatte, als er sich einer Personalkontrolle durch eine Militärpatrouille habe entziehen wollen.

„Ich wunderte mich ein wenig darüber", sagte er, „dass ein Offizier im Generalsrang sich persönlich für einen gewöhnlichen Rebellen interessierte."

„Weshalb haben Sie den Vorfall nicht gemeldet?"

„Er schien mir zwar ungewöhnlich, doch ich sah eigentlich keine Veranlassung für eine Meldung. Ich nahm an, der General habe Gründe für seine Nachfrage."

„Was fällt Ihnen zum Namen Minga noch ein?"

„Einige Tage vor dem Anruf des Generals kam ein Pfarrer zu mir, zusammen mit einem Angehörigen der Schweizer Botschaft, der –"

„Schweizer Botschaft? Was hat die mit der Sache zu tun?"

„Die Patrouille erwischte Minga direkt vor dem Botschaftsgebäude der Schweizer. Die wollten ihn in ein Krankenhaus transportieren lassen, da brachte die Patrouille ihn hierher."

„Was wollten die beiden von Ihnen?"

„Sie erkundigten sich nach Minga, der offenbar ein Bekannter des Pfarrers gewesen war."

„Haben Sie ihnen Auskunft gegeben?"

„Nein."

„Erinnern Sie sich an ihre Namen?"

Tacquieri überlegte einen Augenblick. „Der Pfarrer hiess, glaube ich, Gómez. Ein alter Mann mit weissem Haar. Er sagte, er sei von der Pfarrgemeinde San Miguel. An den Namen des Schweizers kann ich mich nicht mehr erinnern. Ich habe den Vorfall jedoch meiner vorgesetzten Dienststelle gemeldet."

Der andere notierte sich den Namen des Priesters. Anschliessend führte er ein kurzes Telefongespräch.

„Bleiben Sie hier", sagte er danach zu Tacquieri. „Sie kriegen heute nacht noch Arbeit."

Der Hauptmann nickte.

Kurz vor Mitternacht holten sie Padre Ignacio. Er war noch auf und öffnete selbst. Die fünf Männer drangen gleich ins Haus ein.

„Bist du Gómez?" fragte einer.

„Ja", antwortete er gefasst.

Zwei Männer packten ihn und zerrten ihn hinaus zu

einem der beiden Wagen, mit denen sie gekommen waren, während die anderen drei im Haus blieben. Sie drangen in sämtliche Räume ein, rissen die beiden Vikare und die alte Haushälterin aus ihren Betten und schleppten sie in die Küche. In Padre Ignacios Zimmer beginnend, durchsuchten sie anschliessend das ganze Haus.

Padre Ignacio selbst hatte sich in ihr Auto gesetzt, ohne sich zu wehren oder auch nur zu fragen, wer sie waren. Er wusste es ohnehin. Irgend etwas musste schiefgegangen sein. Er hätte gerne gewusst, wie sie auf ihn gekommen waren, doch als Antwort hätte er wohl nur die Faust ins Gesicht bekommen. So schwieg er den ganzen Weg.

Sie brachten ihn zum *Campo Central*. Das schwere Eisentor schob sich langsam zur Seite und sie fuhren in den Innenhof. Dort zerrten sie ihn aus dem Wagen und führten ihn in das Gebäude. Durch hallende, schlecht beleuchtete Korridore, an Dutzenden verschlossener Zellentüren vorbei und über ein kahles Treppenhaus gelangten sie schliesslich in ein Kellergeschoss. Vor einer Tür hielten sie an, öffneten sie und stiessen den Pfarrer hindurch.

„Der Pfaffe Gómez", sagte der eine von ihnen. Sie drehten sich um und traten wieder auf den Korridor hinaus. Die Tür fiel mit einem lauten, hohlen Klang hinter ihnen ins Schloss.

Der Raum war ungefähr vierzig Quadratmeter gross, die Wände völlig kahl, mit dunklen Flecken, der Betonboden wie in einer Waschküche leicht schräg, am tiefsten Punkt ein Abflussgitter. An einer Wand befand sich ein Spülbecken, und darunter auf dem Boden lag ein zusammengerollter Gartenschlauch. Zwei Männer in kurzärmeligen, offenen Hemden sassen auf Stühlen, welche zusammen mit einem Holztisch die ganze Möblierung bildeten. Auf dem Tisch lag neben einem Telefonapparat ein Eisenrohr, etwa fünf Zentimeter dick, von der Länge eines Kinderarms. Eine nackte Glühbirne hing von der Decke und verbreitete ein grelles Licht.

Nun erhoben sich die beiden Männer schweigend, packten den Priester und drückten ihn auf einen der beiden Stühle nieder. Sie drehten ihm die Arme nach hinten und fesselten seine Handgelenke an den Stuhlrücken. Die dünne, aber starke Schnur schnitt schmerzhaft ins Fleisch. Nachdem sie auch seine Beine unter der Soutane an den Stuhl festgebunden hatten, ging der eine von ihnen ans Telefon und wählte eine Nummer. Er sprach einige Worte und legte den Hörer wieder auf die Gabel.

Eine Weile geschah nichts. Padre Ignacio starrte vor sich hin auf den Fussboden, während seine beiden Bewacher schweigend herumstanden. Trotz der schwülen Wärme draussen war es hier unter der Erdoberfläche kühl. Die feuchte Luft roch modrig, doch das war nicht der einzige Grund dafür, dass den Pfarrer jetzt ein starkes Frösteln befiel.

Draussen näherten sich Schritte. Die Tür wurde aufgestossen und Hauptmann Tacquieri kam herein. In seiner Begleitung befand sich ein schlanker Mann in gepflegter Zivilkleidung, den Padre Ignacio nicht kannte. Es war Jordán Coluna, der Chef der *Dirección General de Inteligencia.* Während Coluna sich auf den freien Stuhl am Tisch setzte, blieb Tacquieri mit auf dem Rücken verschränkten Händen vor dem Gefesselten stehen und blickte schweigend auf ihn nieder.

„Wir haben nicht viel Zeit“, sagte Coluna ohne Anrede vom Tisch herüber. „Wir wissen, dass Sie Kontakte zu Segura hatten. Je schneller Sie uns sagen, was wir wissen wollen, um so besser für Sie. Was hat Segura vor?“

Padre Ignacio sagte sich, dass es sinnlos sei, die Kontakte zu leugnen. Es musste dem General gelungen sein, sich abzusetzen, so dass er sich zur Zeit wahrscheinlich auf dem

Weg in die Schweiz befand. Doch was war mit Widmer? Hatte dieser seinen Auftrag bereits ausgeführt? Wenn er, Ignazio Gomez, redete, und Widmer durch irgendwelche unvorhergesehenen Umstände daran gehindert worden war, die Dokumente sofort nach seiner Ankunft abzuliefern, sie also noch mit sich herumtrug, war die Rückversicherung des Generals gefährdet.

Er hielt seinen Blick gesenkt, während seine Lippen sich beinah unmerklich in stillem Gebet bewegten. Als Tacquieri sah, dass der Gefangene keine Anstalten machte, auf Colunas Frage zu antworten, trat er zurück und nickte einem der beiden Wärter zu. Dieser trat vor den Pfarrer hin, holte blitzschnell aus und versetzte ihm zwei Ohrfeigen, bei denen er die Hand zur Faust geballt hielt. Die Wucht der Schläge riss Padre Ignacio den Kopf hin und her. Seine Lippen platzten auf, und Blut floss über sein Kinn. Trotz des dröhnenden Schmerzes gelang es ihm jedoch, ein Stöhnen zu unterdrücken. Der Schläger trat zurück.

„Was hat Segura vor?“ fragte Coluna nochmals, während er sich eine Zigarette anzündete. Der Pfarrer schüttelte mühsam und stumm den Kopf.

Coluna reichte die Zigarette dem Mann, der Padre Ignacio geschlagen hatte. Dieser trat hinter den Gefesselten und drückte ihm das brennende Ende der Zigarette auf den Handrücken. Jetzt schrie der Gequälte auf und versuchte vergeblich, die Hand wegzuziehen.

„Was hat Segura vor?“ Colunas Stimme klang ruhig, fast gleichgültig. Er war Verhöre dieser Art gewöhnt und wusste, dass jeder Gefangene mit fortschreitender Behandlung zu reden anfing. Er hoffte nur, dieser hier verfüge wirklich über nützliche Informationen. Sie hatten den Pfarrer auf gut Glück hierher gebracht, ohne zu wissen, ob er über Seguras Päne auch tatsächlich Bescheid wusste. Er hatte sich beim Kommandanten des Campo Central nach einem Gefangenen namens Minga erkundigt. Drei Tage darauf hatte Segura Hauptmann Tacquieri über denselben Mann ausgefragt. Coluna glaubte die Zusammenhänge zu erkennen: Der Pfarrer hatte, nachdem er selbst von Tacquieri abgewiesen worden war, Segura um Hilfe gebeten. Daher der Zettel mit der Notiz, den sie in einer von Seguras Uniformen gefunden hatten. Die beiden kannten sich also. Was jedoch hatte der Oberbefehlshaber der Luftwaffe mit einem alten Pfarrer aus den Armenvierteln zu schaffen? Es musste ein besonderer Grund für diese ungewöhnliche Verbindung vorliegen. Coluna hatte vom Aussenministerium die Namensliste der in Resistencia akkreditierten Schweizer Diplomaten angefordert. Die Beschaffung der Liste dauerte jedoch eine Weile, da zu dem Zweck zuerst ein Angehöriger des Ministerialsekretariats, der sich in den betreffenden Büros und Archiven auskannte, aus dem Bett geholt werden musste. Gleichzeitig forschten Beamte des DGI auf der Kreiskommandatur nach allfälligen schriftlichen Unterlagen des telefonischen Berichtes, den Tacquieri nach dem Besuch des Pfarrers und des Schweizers an seine Vorgesetzten durchgegeben hatte. So oder so hoffte Coluna, bald näheres über den mysteriösen Ausländers zu erfahren, der möglicherweise etwas mit dem Verschwinden Seguras zu tun hatte. Er betrachtete den Priester. Bei älteren Subjekten gab es manchmal Probleme, wenn das Herz nicht mehr mitmachte. Es galt deshalb, die Behandlungsschübe sorgfältig zu dosieren, um zu vermeiden, dass der Gefangene vor dem gewünschten Zeitpunkt starb. Vielleicht war es besser, zur „indirekten" Methode zu greifen.

Padre Ignacio hatte Mühe, den Kopf aufrecht zu halten. Seine untere Gesichtshälfte war angeschwollen und verfärbte sich dunkel. Kinn und Hals waren blutverschmiert, und Blut tropfte auf seine schwarze Soutane.

Coluna beschloss, mit der indirekten Methode weiterzufahren. Er rief Tacquieri zu sich. Nachdem sie leise einige Worte miteinander gesprochen hatten, griff der Hauptmann zum Telefon und wählte. Als am anderen Ende jemand abnahm, gab er einen Befehl durch und legte auf. Dann drehte er sich zu Padre Ignacio um.

„Wir wollen sehen, wie Sie es mit der Nächstenliebe halten, *Reverendo Padre!*" sagte er und betonte höhnisch die letzten beiden Worte, welche „Hochwürdiger Vater" bedeuten. Coluna hatte sich inzwischen eine neue Zigarette angezündet. Die beiden Wärter standen in der Mitte des Raumes. Der eine von ihnen rauchte die Zigarette zu Ende, mit der er Padre Ignacio gebrannt hatte. Tacquieri hatte die Hände in den Taschen seiner Uniformhose vergraben und ging im Raum hin und her.

Draussen ertönten Schritte von Militärstiefeln. Die Tür öffnete sich und zwei Soldaten stiessen einen etwa fünfundzwanzigjährigen Mann herein. Der eine Soldat trug einen Stuhl mit sich, den er in die Mitte des Zimmers stellte. Noch während die beiden Uniformierten ihren Kommandanten militärisch grüssten und den Raum wieder verliessen, machten sich die beiden Wärter daran, den jungen Mann auf gleiche Weise an den Stuhl zu fesseln, wie sie es mit Padre Ignacio getan hatten. Hauptmann Tacquieri nahm das Eisenrohr vom Tisch und streckte es einem der beiden Männer entgegen. Dieser nahm das Rohr und stellte sich neben den jungen Gefangenen, der Padre Ignacio frontal gegenübersass. Sein Kumpane stellte sich auf die andere Seite. Halb verrückt vor Angst schaute der Gefesselte um sich, starrte aus weit aufgerissenen Augen den Pfarrer an, dann Tacquieri, Coluna und wieder die Männer neben ihm, bis sich sein Blick an der Hand mit dem Eisenrohr festsaugte.

„Bitte", stammelte er mit zitternder Stimme, „was wollen

Sie von mir? Ich habe nichts getan ... Ich helfe Ihnen gerne ... Bitte ... Dies ist ein Irrtum ... "

Sein Atem ging stossweise. Tacquieri nickte. Der Mann mit dem Eisenrohr holte aus, und der andere riss den Kopf des Gefesselten an den Haaren nach hinten. Padre Ignacio zerrte an seinen Fesseln, die sich dadurch nur noch tiefer in seine Handgelenke frassen.

„Nicht!" schrie er. „Um Gottes willen ... !"

„Nein! Nicht! ... " Die Stimme des jungen Mannes überschlug sich. Doch dann sauste das Rohr herunter und zertrümmerte ihm die untere Gesichtshälfte. Der Getroffene schrie auf. Es war mehr ein tierisches Aufheulen. Die gefesselten Arme und Beine zuckten und rissen an den Schnüren. Sein Kiefer war zerschmettert, und wo vorher sein Mund gewesen war, klaffte eine einzige grosse Wunde, aus der sich Schwälle von Blut ergossen, vermischt mit Splittern von eingeschlagenen Zähnen. Sein Kopf wurde losgelassen, und er drückte ihn auf die Brust hinunter, während sein ganzer Körper zuckte und sich in den Feseln wand. Dabei heulte und stöhnte der Geschlagene.

Padre Ignacio starrte mit fassungslosem Entsetzen zum Gemarterten hinüber.

„Wollen Sie uns antworten, Padre?" fragte Hauptmann Tacquieri.

„Was hat Segura vor?" kam die kalte Stimme Colunas. Padre Ignacio war kaum mehr fähig, klar zu denken. Er wusste nur, dass er nicht sprechen durfte. Wenn er bloss mit Sicherheit wüsste, ob Widmer die Papiere bereits abgeliefert hatte! Wie weit war Segura? Welcher Tag war heute? Wann begann die Konferenz in der Schweiz?

Er riss seine Augen von der blutigen Wunde im Gesicht des andern und schaute Coluna an.

„Verschonen Sie ihn", flehte er. „Schlagen Sie mich, nicht ihn ... " Doch er wusste, dass es sinnlos war. Sie schlugen den Jungen, um ihn, den Alten, zum Sprechen zu bringen. Wie gebannt starrte er auf die Faust, die das Eisenrohr locker umfasste und nun damit leicht gegen das Knie des Verletzten tippte. Das Gesicht des Mannes, der das Rohr hielt, war völlig ausdruckslos. Wieder nickte Tacquieri, Padre Ignacio sah die Faust mit dem Rohr hochgehen und schrie „Nein . . . !“ Er wollte sich dem mit fürchterlicher Gewalt niedersausenden Rohr in die Bahn werfen, doch er fiel mitsamt dem Stuhl nach vorn, und noch während er mit dem Kopf auf dem Steinboden aufschlug, hörte er das kurze Krachen der Knochen und den markerschütternden Schrei des Opfers, als das Rohr diesem das Knie zermalmte. Als er, mit dem Stuhl zusammengebunden am Boden liegend, die eigenen Qualen kaum wahrnehmend, den Kopf verdrehte und aufschaute, sah er den Gefolterten, wie er sich in rasender Pein aufbäumte in seinen Fesseln, als jage man eine Ladung Strom durch seinen Körper.

Die beiden Hemdsärmligen packten den Pfarrer und richteten ihn mitsamt dem Stuhl wieder auf.

„Eure Tage sind gezählt! . . . “ schrie Padre Ignacio ausser sich.

„Sie versuchen, sich Mut zu machen!“ antwortete Tacquieri scharf. Er musste laut sprechen, um das Heulen des schwerverletzten jungen Mannes zu übertönen. „Sie wissen, dass Sie keine Chance haben. Hier kommen Sie nicht mehr raus, Padre! Verstehst du, Dreckpfaffe? Wir haben dich in unserer Gewalt! Was hat Segura vor?“

„Sie haben keine Macht, Tacquieri!“ keuchte Ignazio Gomez. Er konnte nur noch unter starken Schmerzen sprechen. „Sie sind selbst ein Werkzeug der Mächtigen! Man lässt Sie hier Ihre niedrigen Instinkte austoben und benutzt Sie und Ihren Sadismus, um selber an der Macht zu blei –“ Tacquieris Handrücken traf ihn hart in sein verschwollenes Gesicht.

„Was hat Segura vor?"

„Hier können Sie tun und lassen, was Sie wollen. Hier lässt man Sie ihre kleinen und billigen Machtgelüste ausleben. Doch an die wirk –" Wieder traf ihn ein Schlag mit fürchterlicher Wucht.

„Komm schon, Dreckpfaffe! Was hat Segura vor?"

„– wirkliche Macht kommen Sie nie heran, Tacquieri! Nie! Nie! Sie sind dumm, doch man lässt Sie machen, solange Sie nur Ihre Ge –" Noch ein Schlag. „– fangenen quälen –" Und wieder ein Schlag, der dem Pfarrer beinah die Sinne raubte. Tacquieri war ausser sich vor Zorn. Padre Ignacio bewegte mühsam den Kopf und schaute zu ihm auf. Sein Gesicht war blutunterlaufen, und er konnte den Mund kaum mehr bewegen. Sein Atem ging pfeifend.

„Hier endet deine Macht, Henkersknecht . . . " stiess er röchelnd hervor, wobei er versuchte, ein provozierendes Grinsen auf sein verunstaltetes Gesicht zu zwingen. Es wurde eine elende, schreckliche Grimasse.

Tacquieri starrte, den Mund zu einem dünnen Strich zusammengezogen, aus hasserfüllten Augen auf ihn nieder. Seine Halsschlagader trat so stark hervor, als wolle sie jeden Augenblick platzen. Der Lagerkommandant zitterte vor rasender Wut. Nur das Stöhnen des jüngeren Gefangenen und der rasselnde Atem des Pfarrers war zu hören. Die anderen beobachteten Tacquieri.

Plötzlich ging eine Bewegung durch die Gestalt des Hauptmanns. Er entspannte sich, zog ein Taschentuch hervor und wischte sich damit den Schweiss von der Stirn. Dabei verzog er seinen Mund zu einem dünnen Lächeln.

„Beinah hättest du gewonnen, Dreckpfaffe. Beinah hätte ich dich umgebracht. Das wolltest du doch, nicht wahr?" Seine Augen verengten sich zu Schlitzen. „Was hat Segura vor?"

Doch der alte Padre gab noch nicht auf. „Sie sind ein

armseliger Handlanger, Tacquieri!“ keuchte er. „Sie wissen nicht, was hier gespielt wird! Haben Sie jemals von *Nueva Vida* gehört?! Kennen Sie –“

Bei diesen Worten sprang Coluna so abrupt von seinem Stuhl auf, dass dieser umkippte. Seine beinah zu Ende gerauchte Zigarette achtlos fallenlassend, kam er mit drei Schritten hinter dem Tisch hervor, stiess Tacquieri respektlos zur Seite und baute sich vor Padre Ignacio auf.

„Was wissen Sie von *Nueva Vida*?“ fragte er mit schneidender Stimme. Er hatte das Duell zwischen dem Pfarrer und dem Gefängniskommandanten aufmerksam verfolgt, bereit, einzuspringen, falls der Hauptmann wirklich vor Unbeherrschtheit die Nerven ganz verlieren sollte. Natürlich hatte der Pfaffe recht: Männer wie Tacquieri waren eitel und dumm. Gerade die Richtigen, um als Kommandanten von Militärgefängnissen eingesetzt zu werden, wo sie nichts anderes zu tun hatten, als einige Folterknechte herumzukommandieren. Solche Leute zählten selbstverständlich nicht zu den Eingeweihten.

Padre Ignacio seinerseits sah ein, dass er einen Fehler begangen hatte. In seinem verzweifelten Versuch, Tacquieri so zu provozieren, dass dieser ihn erschlagen würde, hatte er sich verraten. Coluna musterte ihn aus kalten Augen. Seine Gedanken jagten sich. Was gab es für Zusammenhänge zwischen *Nueva Vida* und Segura?

„Was hat er damit gemeint?“ fragte Tacquieri. „Was bedeutet *Nueva Vida*?“

„Geheime Regierungssache“, antwortet Coluna schroff, ohne den Blick von dem in seinen Fesseln hängenden Pfarrer zu nehmen. „Vergessen Sie den Namen! Sie haben ihn nie gehört!“ Verdammt, was wusste Segura von der Organisation? Der Pfaffe musste unbedingt zum Sprechen gebracht werden!

Padre Ignacio hatte entmutigt den Kopf sinken lassen

und die Augen geschlossen. Das Wimmern und Stöhnen des andern Gefangenen war abgestorben; er war ohnmächtig geworden.

Das Telefon schrillte. Tacquieri hob ab, lauschte und wandte sich an Coluna. „Für Sie, Herr Direktor."

Coluna ging zum Tisch, nahm den Hörer aus Tacquieris Hand und meldete sich. Nach einer Weile sagte er „Gut" und legte auf. Er wusste jetzt, wie der Schweizer hiess, an dessen Namen Tacquieri sich nicht mehr erinnern konnte. Langsam drehte er sich zu Padre Ignacio um. Während er sprach, beobachtete er ihn aufmerksam.

„Widmer lässt Sie grüssen."

Der Priester hob langsam den Kopf. Als sein gequälter Blick sich mit dem von Coluna kreuzte, wusste dieser, dass er mit seinem Schuss ins Ungewisse Glück gehabt hatte. Widmer hatte mit der Sache zu tun, und der Priester wusste darüber Bescheid. Sie würden es aus ihm herausholen. Coluna winkte Tacquieri zu sich heran und sprach kurz auf ihn ein, worauf der Kommandant sich an einen der Folterer wandte.

„Wir wollen eine Operette."

Der Angesprochene nickte und verliess den Raum. Unterdessen war Coluna wieder vor den Pfarrer hingetreten.

„Sie sind ein Narr, sich weiterhin zu sträuben, Gómez", sagte er leise und eindringlich. „Am Ende erfahren wir doch alles, was wir wissen wollen."

Padre Ignacio reagierte nicht, und es wurde still im Raum.

Nach einigen Minuten kam der Mann zurück, der vorher hinausgegangen war. Hinter ihm stiess ein Soldat eine junge Frau ins Zimmer, die ein kleines Mädchen in ihren Armen hielt. Das Kind weinte leise und klammerte sich an seine Mutter, während diese es fest an sich drückte. Beim

Eintreten fiel ihr Blick zuerst auf den gefesselten Pfarrer, dann auf den Ohnmächtigen. Sie sah das viele Blut und wollte erschrocken zurückweichen, doch der Soldat stiess sie in die Mitte des Raumes und schloss die Tür. Die beiden Hemdsärmeligen packten die Frau an den Armen, und der Soldat griff nach dem Kind. Sie drückte das Mädchen noch fester an sich, doch einen Augenblick später hatte er ihr den kleinen Körper entrissen. Die beiden anderen fielen über die Frau her. Padre Ignacio wollte schreien, sie sollten aufhören, doch aus seiner Kehle kam nur ein heiseres, unverständliches Krächzen. Die Frau flehte, das Kind heulte laut. Coluna und Tacquieri standen neben Padre Ignacio und schauten zu. Die beiden Männer rissen der Frau das dünne Kleid herunter und zerrten sie zum Tisch. Der eine ergriff das Eisenrohr. Padre Ignacios Augäpfel traten weit aus ihren Höhlen, und als wäre all seine verlorene Kraft wieder in ihn zurückgekehrt, bäumte sich sein Körper gegen die Fesseln. Der Soldat schwang das Kind an den Füssen durch die Luft und schleuderte es Kopf voran gegen die Wand, immer wieder, bis der kleine Schädel platzte und das Blut in aller Richtungen spritzte. Die grellen Schmerzensschreie der Frau erfüllten den Raum.

Auch Padre Ignacio schrie, doch es war ein stummes Schreien, ein Ächzen bloss noch. Er konnte den Mund nur noch einen Spalt breit öffnen, und seine Stimmbänder versagten ihm den Dienst. Über sein verunstaltetes Gesicht liefen Tränen.

Später, er konnte sich nur noch flüsternd verständigen, und mit jedem unter Schmerzen hervorgestossenen Wort schien er auch gleich einen Teil seines Lebens auszuhauchen, erzählte er alles was er wusste über Seguras Absichten, über Widmer und die Papiere, welche dieser auf einer Schweizer Bank hinterlegen sollte, und über einen Mann namens Irribara. Nur den Namen der Bank wusste er nicht. Coluna, der den etwas gekränkt dreinschauenden Hauptmann und die drei Folterer hinausgewiesen hatte, damit sie nichts von dem hörten, was der Pfarrer zu sagen hatte, ging zur Tür, rief sie wieder herein und liess die Frau weiter foltern. Erst als deren nackter, verstümmelter Körper, von Kopf bis Fuss blutverschmiert, leblos neben ihrem erschlagenen Kind auf dem Betonboden lag und Padre Ignacio den Namen der Bank immer noch nicht genannt hatte, griff er in die Innentasche seiner Jacke und brachte ein flaches Lederetui zum Vorschein, dem er eine bereits aufgezogene Injektionsspritze entnahm. Durch die Kleidung hindurch spritzte er dem ohnehin Halbohnmächtigen eine Flüssigkeit in den Oberarm, worauf der Pfarrer sofort einschlief. Er durfte keine Gelegenheit mehr haben, mit irgend jemandem zu sprechen. Anderseits musste er am Leben gehalten werden, bis seine Angaben sich als wahr erwiesen hatten. Sie banden ihn los und brachten ihn in eine Zelle, von wo ihn eine halbe Stunde später zwei Männer abholten und in einem Krankentransportwagen wegbrachten.

Als der Verhörraum leer war, ging einer der beiden hemdsärmeligen Männer nochmals hinein. Er nahm das Eisenrohr und wusch unter laufendem Wasser im Spülbecken Blut und Hautfetzen davon ab. Dann schloss er den Gartenschlauch, der unter dem Becken gelegen hatte, an die Wasserleitung an und spritzte damit Tisch, Stühle, Wände und Boden ab, bis alles Blut den Abfluss hinuntergespült war.

José Irribara, Justizminister El Luchadors, sass in derselben Nacht an seinem Schreibtisch und fürchtete sich davor, nach Hause zu gehen. Obwohl die Klimaanlage im Ministerium auch nachts eingeschaltet blieb, schwitzte er stark. Kalter Angstschweiss glänzte auf seinem Gesicht und durchnässte seinen Hemdkragen. Um zehn Uhr, also vor ungefähr zwei Stunden, waren alle Minister und obersten Armeebefehlshaber zu einer geheimen Dringlichkeitssitzung zusammengerufen und über die mutmassliche Desertation General Seguras in Kenntnis gesetzt worden. Nach der Sitzung hatte Irribara sein Büro aufgesucht und seither nicht mehr verlassen. Seine Angst rührte von einer nächtlichen Autofahrt mit Segura her, welche einige Monate zurücklag und während der ihn seine eigene Schwatzhaftigkeit verraten hatte. Er verfluchte jenen Abend, an dem er sich vom Fliegergeneral das Geheimnis um *Nueva Vida* hatte entreissen lassen. Vor einer Viertelstunde hatte er einen Telefonanruf getätigt und dabei erfahren, dass man in der Angelegenheit bereits auf eine Spur gestossen war, die zu einem Pfarrer in La Terazza führte. Doch vielleicht, so versuchte er sich zu beruhigen, war es eine falsche Spur. Dass Segura mit dem Pfaffen in Verbindung gestanden hatte, hiess noch lange nicht, dass dieser über *Nueva Vida* Bescheid wusste.

Irribaras Finger spielten nervös mit einem Brieföffner. Er kannte die Vernehmungsmethoden der Sicherheitsdienste. Wenn der Pfarrer etwas wusste, würde er es früher oder später von sich geben. Die Verhörspezialisten im Campo und in den anderen Gefängnissen brachten jeden zum Sprechen; selbst jene, die nichts zu gestehen hatten. Ausserdem war besonderer Zwang vielleicht gar nicht notwendig. Aus welchen Gründen sollte ein Mitwisser Seguras noch schweigen, jetzt, da dieser entwischt und auf dem Weg nach Europa war? Höchstens vielleicht, um die Regierung noch einige Stunden oder Tage im Unklaren zu lassen darüber, was der General wirklich vorhatte; um noch etwas Zeit zu gewinnen, bis Segura seine Pläne, was immer sie sein mochten, soweit ausgeführt hatte, dass man nichts mehr dagegen unternehmen konnte.

Der Minister warf den Brieföffner auf den Schreibtisch und ballte seine schweissfeuchten Hände zu Fäusten. Er ahnte, ja wusste, dass Seguras Desertation mit den Informationen zusammenhing, die der General aus ihm herausgepresst hatte.

Sicher hatten sie den Pfarrer bereits abgeholt, und falls dieser doch die Zusammenhänge kannte, waren seine, Irribaras, Stunden gezählt. Sie kannten keine Gnade. Wer plauderte, wurde eliminiert. Der Minister, zuständig für das Recht in El Luchador, wischte sich mit einem Taschentuch den Schweiss von Gesicht und Nacken. Er schauderte beim Gedanken daran, was sie mit ihm gemacht hätten, wenn er fünfundzwanzig Jahre jünger gewesen wäre.

Auf Irribaras Schreibtisch standen zwei Telefonapparate, von denen der eine über die Hauszentrale lief, während der andere einen externen Anschluss hatte. Irribara suchte die Privatnummer eines in Resistencia akkreditierten ausländischen Botschafters aus einem Verzeichnis und stellte sie auf der direkten Leitung ein. Seine einzige Hoffnung lag bei jenen nichtluchadorianischen Kreisen, welche ebensowenig wie seine eigenen Leute am Bekanntwerden von Seguras Enthüllungen interessiert sein konnten. Sie wussten nichts von *Nueva Vida*, doch gerade deshalb würden sie für jede Vorwarnung dankbar sein, froh, dem drohenden Skandal, in dessen Strudel sie als El Luchadors engste Verbündete unweigerlich hineingezogen werden mussten, nicht völlig unvorbereitet gegenüberzustehen. Irribaras Handeln beruhte keineswegs auf politischem Anstand oder irgendwelchen Gefühlen der persönlichen Loyalität gegenüber den Verbündeten. Ihn interessierte einzig und allein die Gegenleistung, die er für seine Informationen von ihnen erwartete: dass sie ihn vor Costas Exekutoren schützten und ihm halfen, unbemerkt das Land zu verlassen und irgendwo unter falschem Namen unterzutauchen.

Während er mit dem Hörer am Ohr wartete, schaute er auf die Uhr. Es war Mitternacht. Am anderen Ende klingelte es, wieder und wieder, während Irribara nervös mit den Fingern der freien Hand auf die Schreibtischplatte trommelte. Endlich wurde abgenommen, und eine Männerstimme meldete sich. An ihrem Klang war nicht zu erkennen, ob der Betreffende bereits geschlafen hatte oder nicht. Irribara sprach hastig und leise, beinah im Flüsterton. Das Telefonat wurde auf englisch geführt und dauerte fünfundvierzig Sekunden. Dann erhob sich der Justizminister und verliess sein Büro. Das Gebäude war leer bis auf die Wachen, die durch die Korridore patrouillierten. Er nahm den Aufzug ins Erdgeschoss. Das Hauptportal war verschlossen, und er trat durch einen Seitenausgang, zu dem er einen Schlüssel bei sich trug, ins Freie. Auf dem Vorplatz des Ministeriums stand sein Dienstwagen; den Fahrer hatte er früh am Abend nach Hause geschickt. Nun setzte er sich, Todesangst im Nacken, ans Steuer und fuhr los.

Die Fahrt dauerte nicht lange. Irribaras Ziel war eine Geschäftsstrasse des Stadtzentrums, wo er sein Auto vor einem modernen, vierstöckigen Gebäude parkierte, in dem sich die Botschaft der Vereinigten Staaten von Amerika befand. Als Zeichen des besonderen Status, der ihr in Resistencia zugemessen wurde, bewachten zwei luchadorianische Soldaten in Paradeuniform den Eingang. Auf der Höhe des zweiten Stockwerkes hing, von zwei kleinen, an der Hausmauer befestigten Scheinwerfern angeleuchtet, das Sternenbanner träge in der schwülen Nachtluft.

Als Irribara auf den Hauseingang zuging, wurde der eine Türflügel von innen geöffnet. Die beiden Wachsoldaten, welche seinen Wagen am Nummernschild als Regierungsfahrzeug erkannt hatten, nahmen Haltung an, als er an ihnen vorbei durch die Tür ging.

VI

Der Vorortzug, der Frankfurt mit dem Rhein-Main Flughafen verband, war vollbesetzt. Flughafenangestellte, die zum Dienst fuhren, Touristen mit Chartertickets nach Mallorca oder nach den Malediven, und Geschäftsreisende, die kurz mal zu einer Besprechung nach Paris, Rom oder Genf flogen. Es war Morgen, zehn nach sechs Uhr. Hier und dort gähnten noch Fahrgäste hinter vorgehaltener Hand.

Ernesto Pérez hatte einen Fensterplatz. Zum soundsovielten Mal las er das Telegramm, das ihn vor drei Stunden erreicht hatte.

+++erwarte sie dienstag sechs uhr fuenfundzwanzig flughafen frankfurt stop flug lh423 aus boston stop habe informationen fuer amnesty international stop general romero lucas segura stop+++

Pérez stand vor einem Rätsel. Die Namen Segura und Amnesty International passten nicht zusammen. Vielleicht war es ein Bluff, um ihn und andere Exilluchadorianer zu schikanieren. Er konnte jedoch in einer Falschmeldung oder einer Falle dieser Art keinen Sinn sehen. Der luchadorianische Geheimdienst überwachte alle aus der Heimat Geflohenen, egal in welchem Teil der Welt sie sich aufhielten. Costa, der Chef der Junta, wollte jederzeit über ihre Aktivitäten Bescheid wissen. Immer wieder liess er seine ohnehin machtlosen Gegner spüren, dass es vor seinem starken Arm kein Entrinnen gab. Der nach Italien geflohenen Chefredaktor der von Costa verbotenen Oppositionszeitung *Visión* war beim Verlassen eines Mailänder Restaurants aus einem vorbeifahrenden Auto erschossen worden. Ein im Pariser Exil lebender ehemaliger Gewerkschaftsführer war in einer Metrostation im Gedränge vor den fahrenden Zug „gefallen“. Morde wie diese galten als

Warnung an die Verjagten. Sie bildeten die Grundlage, auf der Costa seine Strategie der Abschreckung aufbaute.

Nein, sagte sich Pérez, während er das Telegramm wieder zusammenfaltete und einsteckte, Costa hatte keine neuen Tricks nötig, um seine Gegner zu beeindrucken. Was also sollte das Ganze bedeuten? Segura war ranghoher Offizier einer Armee, welche nie etwas anderes getan hatte, als konsequent und mit allen Mitteln die Interessen einer kleinen einheimischen Oberschicht gegen die Massen der Besitz- und Rechtlosen zu verteidigen. Nicht erst seit der Machtübernahme Costas, sondern seit über hundert Jahren. Segura gehörte zur ersten Garde von El Luchadors Peinigern. Sollte er sich plötzlich gegen seine eigene Welt, gegen seinen eigenen Kreis Privilegierter gewandt haben?

Pérez schaute aus dem Fenster des fahrenden Zuges und dachte an die Zeit, als er noch in den Nickelminen seiner Heimat gearbeitet hatte. Als einer der wenigen des Lesens und Schreibens Kundigen war er innerhalb seiner Gewerkschaft, des *Consortio Minero*, rasch aufgestiegen und hatte sich durch seinen unermüdlichen Einsatz im Kampf um bessere Arbeits- und Lebensbedingungen für die Bergarbeiter und ihre Familien exponiert.

Schon unter früheren Regierungen waren Gewerkschaften und Oppositionsparteien nur geduldet worden, um der Nation nach aussen hin den Anschein einer einigermassen funktionierenden Demokratie zu geben. Menschen wie Pérez wussten, dass sie, Alibifiguren, die sie waren, in Wirklichkeit nichts zu bestellen hatten und – einem Streikenden musste angesichts auf ihn zielender Gewehrläufe der Ruf nach Gerechtigkeit im Halse steckenbleiben – auch nicht die Macht besassen, dies zu ändern. Doch anstatt zu resignieren, verbissen sie sich um so mehr in den aussichtslosen Kampf gegen ein System, das nur dank rücksichtsloser Ausbeutung Vieler durch Wenige bestehen konnte. Bis zu dem Tag, an dem Costa in den Regierungspalast in Resistencia einzog. Mit der Absicht, jede Opposition, welche die Zeiten seiner Vorgänger überlebt hatte, endgültig auszumerzen, gab er Leute wie Pérez zum Abschuss frei. Es war die Zeit, in der in El Luchador die Türen mit Gewehrkolben eingeschlagen wurden und die Armee die letzten Hemmungen verlor. Wo den seit jeher systematisch brutalisierten Soldaten ein Gesuchter entging, nahmen sie sich dessen zurückgebliebenen Angehörigen vor.

Vielen Verfolgten gelang es, über die Grenze zu fliehen und so ihr nacktes Leben zu retten. Pérez war einer von ihnen. Er war nicht verheiratet, hatte keine Geschwister, und seine Eltern lebten schon lange nicht mehr. Doch auch für ihn mussten andere leiden; Freunde und Gesinnungsgenossen, denen es zur Flucht nicht gereicht hatte und an denen die Häscher ihre Wut ausliessen.

Pérez war auf Umwegen in die Bundesrepublik gelangt, welche ihm politisches Asyl gewährte. Bei seiner Ankunft in Deutschland war er, der Fünfundvierzigjährige, mittellos und ohne Zukunft. Seine zähe Kämpfernatur liess ihn jedoch nicht im Stich. Heute, nach zwei Jahren, sprach er verhältnismässig gut Deutsch und arbeitete als freischaffender Spanischlehrer. Was er dabei verdiente, brachte ihn schlecht und recht über die Runden. Costas Aufpasser jedoch liessen ihn nicht aus den Augen. Um am Leben zu bleiben, musste er schweigen. Er war beileibe kein Angsthase, doch hier ging es einzig darum, die Erfolgschancen einer politischen Tätigkeit, soweit eine solche Ausländern in Deutschland erlaubt war, abzuwägen gegen die Wahrscheinlichkeit, umgebracht zu werden. Er sass am kürzeren Hebel. Sein Leben würde in dem Moment, in welchem er öffentlich die Regierung seiner Heimat kritisierte, keinen *céntimo* mehr wert sein.

Der Zug fuhr in den unterirdischen Bahnhof des Flughafens ein, und Pérez gelangte über Rolltreppen in den Ankunftstrakt. In regelmässigen Abständen begegnete er mit Maschinenpistolen bewaffneten Polizisten, die zum alltäglichen Bild des Flughafens gehörten, seit Flugzeugentführungen und Bombenattentate zu einem zusätzlichen Risikofaktor für die internationale Luftfahrt geworden waren. Bei einem Auskunftsschalter erfuhr er, dass die Reisenden aus Boston durch Halle B kommen würden, und begab sich dorthin. Es war noch früh, erst halb sieben. Während er an einem Kiosk eine Zeitung kaufte, schaute er sich um. Er war nie sicher, ob man ihn gerade beschattete oder nicht. Es gehörte zur Taktik seiner Bewacher, sich ihm hin und wieder zu zeigen und ihn so daran zu erinnern, dass sie ihn unter Kontrolle hatten. Wenn er sie nicht sah, hiess dies jedoch nicht, dass sie nicht da waren.

Er ging zu einem der Sitze, die in der Halle in Reihen aufgestellt waren. Als er sich setzte, bemerkte er den Professor, der nicht weit von ihm entfernt gemächlich hin- und herging. Er hatte den Mann vom luchadorianischen Geheimdienst so getauft, weil dieser eine randlose Brille und einen Spitzbart trug, was ihm ein gewisses intellektuelles Aussehen verlieh. Pérez liess, während er die Zeitung aufblätterte, seinen Blick weiterschweifen. Nun sah er auch den Dicken, wie er ruhig an einer Säule angelehnt stand und offen zu ihm herüberschaute. Untersetzt und rundlich, mit schwarzem Kraushaar und einem buschigen Schnurrbart, sah der Agent, der immer mit dem Professor zusammen zu arbeiten schien, eigentlich recht gemütlich und ungefährlich aus.

Der Anblick der beiden beunruhigte Pérez normalerweise nicht mehr; er hatte sich längst daran gewöhnt, überwacht zu werden. Diesmal jedoch war es anders. Er fragte sich, ob sie wussten, weshalb er hier herausgefahren war. Falls Segura, wie seine Nachricht andeutete, sich wirklich abgesetzt hatte – wobei Pérez sich über den Aufgabeort des Telegramms, Boston, wunderte –, war sein Verschwinden in Resistencia gewiss längst bemerkt worden. Möglicherweise kannten sie bereits seinen Fluchtweg und hatten auch schon Massnahmen für seine Ankunft in Frankfurt getroffen. Massnahmen, von denen auch er, Pérez, betroffen werden konnte. Sie würden annehmen, er sei über Seguras Pläne, was immer diese sein mochten, informiert und stecke mit dem General unter einer Decke. Pérez hatte anfänglich gezögert, Seguras telegrafischer Aufforderung nachzukommen, doch seine Neugier und die leise Hoffnung, dass sich vielleicht doch plötzlich, sozusagen aus dem Nichts, etwas anbahnte, hatten schliesslich gesiegt.

Er unterdrücke ein flaues Gefühl und begann die Zeitung zu lesen, ohne jedoch etwas vom Gedruckten in sich aufzunehmen. Zu sehr beschäftigte ihn die bevorstehende Begegnung. Als die elektronische Anzeigetafel die erfolgte Landung der Maschine aus Boston signalisierte, faltete er die Zeitung zusammen, legte sie achtlos auf einen leeren Nebensitz und erhob sich. Während er sich unter die Leute mischte, die vor der Passagierschleuse warteten, warf er einen raschen Blick um sich. Seine Bewacher hatten sich unsichtbar gemacht, doch er wusste, dass sie jede seiner Bewegungen beobachteten.

Segura befand sich in der ersten Gruppe der Passagiere, welche durch die automatische Tür die Ankunftshalle betraten. Der schmale Aktenkoffer in seiner Linken war durch eine feine Kette mit seinem Handgelenk verbunden. Etwas abseits der Begrüssungsszenen, welche sich zwischen Ankommenden und Wartenden abzuspielen begannen, blieb er stehen. Er brauchte sich nicht lange umzusehen: Pérez kam geradewegs auf ihn zu. Die beiden hatten sich noch nie gegenübergestanden, kannten sich jedoch von Zeitungsfotos einerseits und von Fotos aus den Fahndungsarchiven der luchadorianischen Behörden anderseits. Pérez vermied es, die Hand zur Begrüssung auszustrecken, und Segura unterliess eine entsprechende Geste ebenfalls.

„Ich danke Ihnen, dass Sie gekommen sind", sagte er.

„Weshalb haben Sie mich hieher bestellt?" fragte Pérez steif. „Was wollen Sie von mir? Was wollen Sie in Deutschland?"

„Ich habe mich von einer Delegation abgesetzt, mit der ich nach Boston geflogen war." Segura schaute sich suchend um. „Unser Botschafter sollte auch –" Mitten im Satz brach er ab. Er hatte einige Männer bemerkt, die sich ihm und Pérez von verschiedenen Seiten näherten. Noch betrug die Entfernung zwanzig bis dreissig Schritt, doch die Art und Weise, wie sie sich durch die Menge schoben, ohne Hast, jedoch zielstrebig, schloss jedes Missverständnis aus: Die Jagd hatte begonnen. Seguras Hand schloss sich fester um den Griff seines Köfferchens. Während Pérez, dem die plötzliche Unruhe in Seguras Gesicht nicht entgangen war, sich neugierig umdrehte, sah der General, wie die Männer plötzlich wie vor einer unsichtbaren Barriere stehenblieben. Im gleichen Augenblick sagte schräg hinter ihm eine Stimme auf englisch: „General Segura."

Überrascht wandte er sich um. Drei Männer standen da, und der eine von ihnen, der gesprochen hatte, hielt Segura einen Ausweis hin. „Breitner, vom Bundesnachrichtendienst. Diese beiden Herren hier sind meine Mitarbeiter. Wir möchten uns mit Ihnen unterhalten, General. Da drüben haben wir ein Büro, wo wir ungestört sind."

„Wie Sie wünschen." Segura war darauf gefasst gewesen, von den deutschen Behörden abgefangen zu werden. Angesichts der Bedrohung, die er noch vor wenigen Sekunden hatte auf sich zukommen sehen, war er sogar dankbar dafür.

Die Gruppe, allen voran Breitner, setzte sich in Bewegung. Segura bemerkte einen der Männer, welche sich ihm und Pérez vorhin auf unzweideutige Art genähert hatten und offensichtlich durch die Anwesenheit der deutschen Agenten abgeschreckt worden waren. Der schlanke, kleingewachsene Kerl mit runder Brille und Spitzbart beobachtete sie aus einiger Entfernung.

Sie betraten einen an die Halle angrenzenden Raum, in dem sich ein Tisch mit vier Stühlen und ein Telefon befanden. Breitner setzte sich mit den zwei Südamerikanern an den Tisch. Seine beiden Kollegen blieben draussen und nahmen neben der Tür Aufstellung.

„Ich muss Sie bitten, sich auszuweisen", sagte Breitner auf deutsch zu Pérez. Er studierte kurz den Flüchtlingsausweis, den der Angesprochene ihm reichte, und gab ihn zurück. „Sie wären vorhin beinah in Schwierigkeiten geraten. Irgend jemand scheint es auf Sie beide abgesehen zu haben."

„Ich habe nichts bemerkt, es ging alles zu schnell. Tatsache ist jedoch, dass ich vom luchadorianischen Geheimdienst überwacht werde. Man will mich daran hindern, politisch aktiv zu werden."

„Haben Sie unsere Behörden jemals um Hilfe ersucht?"

„Das würde wenig nützen. Ihre Leute könnten mich nicht jahrelang rund um die Uhr beschützen."

Der Deutsche antwortete nicht gleich. Im Grunde hatte der Flüchtling ja recht. Eine dauernde lückenlose Überwachung aller gefährdeten Asylanten war schlicht unmöglich.

„Nun, jedenfalls werden wir die da draussen ab heute im Auge behalten", sagte er und wandte sich auf englisch an Segura, der seiner Unterhaltung mit Pérez zugehört hatte, ohne etwas zu verstehen: „General, wir haben Informationen, nach denen Sie sich in Boston von einer luchadorianischen Delegation abgesetzt haben, deren Leiter Sie waren."

„Ihre Informationen sind korrekt."

„Verstehen sie mich richtig, General: Die ganze Angelegenheit interessiert uns nur soweit, wie sie mit Ihrer Landung hier in Frankfurt zu tun hat. Für Deutschlandreisende besteht kein Visumszwang, doch Sie werden einsehen, dass wir in Ihrem Fall den Grund Ihres Besuchs in der Bundesrepublik gerne wüssten."

„Ich bin auf der Durchreise und werde mich übermorgen nach Basel begeben, um am Kongress von Amnesty International teilzunehmen."

Breitner machte mit dem Kopf eine Bewegung in Richtung nach draussen. „Man hat Sie offenbar erwartet . . . "

Segura nickte. „Vermutlich, um herauszufinden, was ich vorhabe."

„Wie wollen sie sich zukünftig vor Ihren Verfolgern schützen?"

„Indem ich ihnen meine Pläne mitteile. Wenn sie wissen, worum es geht, werden sie mich in Ruhe lassen. Wer hat Sie eigentlich über mein Kommen informiert?"

„Wir haben unsere Quellen." Breitner hatte nicht die Absicht, über die Informationskanäle der deutschen Sicherheitsbehörden Auskunft zu geben.

Der inoffizielle Tip war vor etwas mehr als vier Stunden von einem Amerikaner, einem Verbindungsmann der CIA, gekommen: Romero Lucas Segura, Oberbefehlshaber der luchadorianischen Streitkräfte, befinde sich völlig unprogrammgemäss auf dem Flug von Boston in die Bundesrepublik. Ohne Gepäck. Es bestehe die Möglichkeit von Kontakten mit dem Osten. Hinweisen dieser Art musste nachgegangen werden. Nachrichtendienstliche Tätigkeit auf bundesdeutschem Gebiet stand unter Strafe, auch wenn sie sich nicht gegen Deutschland selbst, sondern gegen ein Drittland richtete.

Das Einfachste wäre gewesen, Segura gleich bei der Einreisekontrolle im abgeschirmten Teil des Ankunftstraktes für die Befragung abzufangen. Breitner hatte jedoch absichtlich darauf verzichtet, um zu sehen, ob und von wem der Südamerikaner hier in Frankfurt erwartet wurde. Auf einen Überfall, wie er ihn durch sein vorzeitiges Eingreifen gerade noch hatte verhindern können, war er allerdings nicht gefasst gewesen. Er war froh, genug Leute eingesetzt zu haben, so dass die betreffenden fünf Männer nun unter Beobachtung gehalten werden konnten. Wenn es sich wirklich um luchadorianische Agenten handelte, war es klüger, durch eine lückenlose Überwachung weitere Informationen über ihre illegale Tätigkeit zu sammeln, als sie auf Grund dürftiger Indizien unter Arrest zu setzen und womöglich einen diplomatischen Zwischenfall hervorzurufen. Sie hätten bei einer Festnahme bloss zu behaupten brauchen, zu Seguras Schutz abkommandiert worden zu sein, was von der luchadorianischen Botschaft bestätigt worden wäre und weder von Segura selbst noch von Breitner hätte widerlegt werden können. Breitner war sicher, dass sie keine Pistolen, dafür andere, nicht weniger gefährliche Waffen bei sich trugen. Er kannte ein ganzes Arsenal äusserst wirksamer Instrumente, welche sich hervorragend dazu eigneten, jemanden an einem belebten Ort auf unauffällige Weise zu liquidieren. Vom Fingerring mit einem winzigem Stachel, dessen Gift erst einige Zeit nach der Berührung wirkte, über den als Krawattennadel oder Hornbrille getarnten Zyankalispritzer, mit dem man einen Mann umbringen konnte, während man ihn nach der Uhrzeit fragte, bis zum Zigarettenetui, aus dem sich winzige Giftpfeile abschiessen liessen. Auf diese Weise konnte man sich ein Opfer auch, statt es zu töten, mittels spezieller Drogen gefügig machen. Es würde seinem Entführer dann überallhin folgen, ohne dass dies von Passanten als Entführung erkannt wurde. Breitner war überzeugt, dass letzteres ihre Absicht gewesen war. Sein amerikanischer Informant schien vom Vorhaben der Luchadorianer allerdings nichts gewusst zu haben.

Breitners Augen ruhten auf dem Aktenkoffer auf Seguras Schoss. Der diensthabende Zollbeamte hatte sich den Inhalt angesehen: zwei Bündel in spanischer Sprache beschriebener Blätter und zahlreiche Fotographien. Nach den Fotos zu schliessen musste es sich um einen medizinischen Bericht handeln. Unterlagen für Amnesty International? Sicherlich keine geheimen Informationen für die Kubaner oder die Sowjets! Die würde Segura, falls er wirklich, wie die Amerikaner befürchteten, ein Überläufer war, auf andere Art transportieren. Als Mikrofilm vielleicht, oder ganz einfach in seinem Hirn gespeichert und jederzeit abrufbar, sobald er in Sicherheit war. Im Augenblick liess sich nicht feststellen, ob seine Angaben der Wahrheit entsprachen. Er würde jedenfalls ab sofort rund um die Uhr überwacht werden für den Fall, dass er seinen Aufenthalt hier zu Aktivitäten missbrauchen sollte, die die Bundesrepublik auf ihrem Territorium nicht zu tolerieren bereit war. Mehr liess sich nicht machen. Segura besass einen gültigen Pass und konnte sich frei in Deutschland bewegen, solange nichts Konkretes gegen ihn vorlag.

Breitner erhob sich und die beiden andern folgten seinem Beispiel.

„Sie können gehen, meine Herren." Er ging zur Tür und öffnete sie.

„Danke", sagte Segura und trat mit Pérez in die Halle hinaus. Breitners Männer standen immer noch da. Segura sah jemand und wandte sich an Pérez: „Kennen Sie den Mann dort drüben, mit Brille und Bart?"

Pérez folgte seinem Blick. „Der Professor. Ein DGI-Agent."

„Professor?"

„Ich nenne ihn wegen seines Aussehens so."

„Kennen Sie alle Agenten, von denen Sie überwacht werden?"

„Nein, nur diesen hier und einen kleinen Dicken mit Schnurrbart. Sie arbeiten oft zusammen. Ich weiss genau, dass ich noch andere Schatten habe, doch ich kenne sie nicht."

Der Professor stand in einiger Entfernung an eine Säule gelehnt und schaute zu ihnen herüber. Segura setzte sich in Bewegung und ging geradewegs auf ihn zu. Pérez folgte ihm verdutzt. Der Agent schaute ihnen mit unbewegter Miene entgegen. Hinter ihnen sah er die zwei Männer Breitners, welche bei der Tür des Raumes standen, in dem die Befragung Seguras stattgefunden hatte, und die Szene beobachteten. Breitner selbst war verschwunden. Der Professor ärgerte sich darüber, dass er seinen Auftrag nicht hatte ausführen können. Warum zum Teufel hatte man ihm nicht gesagt, dass die Deutschen auch mitspielten!

Segura blieb vor dem Professor stehen. „Wo ist der Botschafter? Hat er mein Telegramm nicht erhalten?"

„Wir haben den Auftrag, Sie in die Botschaft nach Bonn zu bringen, General. Dort wird sich seine Exzellenz mit Ihnen unterhalten."

„Wie lange dauert die Fahrt von hier zur Botschaft?"

„Mit dem Wagen knapp zwei Stunden." Der Professor war überrascht und erleichtert. Er glaubte schon, Segura wolle freiwillig mitkommen, da sagte dieser: „Rufen Sie den Botschafter an und richten Sie ihm aus, dass ich ihn hier erwarte. In zwei Stunden. Er soll einen Kurier mitbringen. Ich habe Post für Resistencia. Wichtige Post."

Der andere stiess sich mit der Schulter von der Säule ab

und starrte Segura durch seine runden Brillengläser irritiert an. „Ich glaube nicht, dass seine Exzellenz sich hierherbemühen wird."

„Er wird, wenn Sie ihm sagen, dass ich sonst den Inhalt dieses Köfferchens hier einem kubanischen Kontaktmann übergeben werde. Beeilen Sie sich. Ich warte genau hundertzwanzig Minuten." Segura wandte sich ab, ohne auf eine Antwort zu warten. Er hoffte, der Bluff würde wirken. Sie wussten nicht, was er in seinem Aktenkoffer mitführte und konnten es sich nicht leisten, ein Risiko einzugehen. Als General war Segura im Besitz erstrangiger militärischer Geheimnisse, welche für Havanna oder Moskau interessant sein mussten.

Pérez hatte dem Wortwechsel aus einigen Schritten Entfernung zugehört und folgte Segura zu einer Reihe leerer Sitze.

„Was haben Sie mit den Kubanern zu tun?" fragte er, während sie sich setzten.

„Nichts", antwortete Segura, „doch ich hoffe, der Botschafter nimmt die Drohung ernst. Ich muss ihn unbedingt sprechen, hier draussen, noch ehe die letzte Maschine mit Anschluss nach Resistencia abfliegt."

„Wozu?"

„Er ist mein Kontakt zu Costa." Segura öffnete mit einem kleinen Schlüssel das Köfferchen auf seinen Knien und entnahm ihm einen von zwei dicken Umschläge, die sich darin befanden und welche er für die Zollkontrolle unverschlossen gelassen hatte. Er feuchtete den gummierten Streifen mit der Zunge an und klebte den Umschlag zu, wobei er darauf achten musste, von der feinen Stahlkette, die sein Handgelenk mit dem Koffergriff verband, nicht behindert zu werden. „Hier drin habe ich meine Lebensversicherung. Damit sie jedoch wirksam wird, muss Costa sie zu Gesicht bekommen."

Während er sprach, versorgte er den Umschlag wieder im Koffer.

„Was wollen Sie eigentlich?“ fragte Peréz in einem Ton, der Ablehnung und Neugier zugleich ausdrückte.

Segura schaute ihn an. „Ich werde am Kongress in Basel über Costas Verbrechen aussagen. Ich meine damit nicht seine Regierungsmethoden. Costa ist in Dinge verwickelt, die ihm und seiner Mannschaft das Genick brechen werden. Ich hoffe vor allem, mit meinem Bericht auch die Vereinigten Staaten vor der Welt blosszustellen und ihnen einen so starken Prestigeverlust zuzufügen, dass sie gezwungen werden, ihre gesamte Mittel- und Südamerikapolitik von Grund auf neu zu überdenken.“

Der Blick, mit dem ihn Pérez musterte, bestätigte ihm, was er erwartet hatte: Es würde nicht leicht sein, in der kurzen Zeit, die ihm zur Verfügung stand, das Vertrauen dieses Mannes zu gewinnen.

„Ich will die Auflösung von Costas Junta“, fuhr er fort, „freie Wahlen unter Zulassung aller Parteien und die sofortige Restrukturierung der Streitkräfte und der Polizei.“

Pérez schaute Segura noch einen Moment lang sprachlos von der Seite an. Dann begann er langsam den Kopf zu schütteln, ungläubig, empört. Seguras Worte klangen wie Hohn in seinen Ohren; Hohn gegenüber jenen, die sich seit Generationen für eben diese freiheitlichen Prinzipien eingesetzt und diesen Einsatz oft genug mit ihrem Leben bezahlt hatten.

Pérez musste sich zusammenreissen, um nicht vom Zorn übermannt zu werden. Von einem Zorn, der, aus jahrelanger Frustration erwachsen, seit seiner Jugend in ihm brannte. Er drehte seinen Oberkörper etwas, um dem anderen besser ins Gesicht sehen zu können.

„Wie kann es einem Mann, wie Sie es sind, einfallen, solche Worte in den Mund zu nehmen!“ presste er mit gezwungen ruhiger Stimme hervor und beugte sich dabei näher zu Segura hinüber, so dass sich ihre Gesichter beinah berührten. „Sie, der Sie selbst nichts anderes sind als einer von Costas Scharfrichtern! Freie Wahlen, General, freie Wahlen haben mit Freiheit zu tun! Wie können ausgerechnet Sie es wagen, das Wort ‚frei' in den Mund zu nehmen! Für wie dumm halten Sie mich, General? Soll ich Ihnen sagen, wozu Sie hierhergekommen sind? In Resistencia hat man sich wieder einmal etwas einfallen lassen, nicht wahr? – Was tun wir denn, um noch besser an die Exilierten heranzukommen? Ja, was wohl, General? Wir senden ihnen einen Deserteur, und zwar gleich einen von erstklassigem Rang! Er soll sich bei ihnen einschleichen, ihr Vertrauen gewinnen und sich in alle Umsturzpläne einweihen lassen, die in Europa ausgeheckt werden. – Was glauben sie wohl, General, was sich bei uns Luchadorianern tut?" Wieder schüttelte er den Kopf. „Gehen Sie nach Hause und sagen Sie Ihren Leuten, dass hier nichts läuft. Die DGI sorgt schon dafür, dass hier und anderswo nichts läuft!"

Mit diesen Worten erhob er sich und ging. Segura, der ruhig und gefasst zugehört hatte, sprang auf und holte den Davoneilenden nach ein paar Schritten ein.

„Warten Sie! . . . " Er hielt Pérez am Arm zurück und zwang ihn so zum Stehenbleiben. „Wenn ich in Costas Auftrag hier wäre, hätten wir die Sache anders aufgezogen. Meine Flucht wäre bereits durch sämtlichen Nachrichtenagenturen der Welt gegangen, um möglichst echt auszusehen. Stattdessen wird das Ganze sehr diskret behandelt. Costa kann sich nicht erklären, weshalb ich hier bin und hat vorläufig noch kein Interesse daran, die Sache aufzubauschen. Ich will mich nicht bei Ihnen einschleichen, Pérez, doch ich möchte, dass Sie mich an den Kongress nach Basel begleiten." Er hob kurz seinen Aktenkoffer in Brusthöhe. „Hier drin habe ich genug Informationen, um

Sie zu überzeugen. Warten Sie mit Ihrem Entscheid wenigstens, bis wir im Hotel angekommen sind und Sie meinen Bericht gelesen haben. Dann werden Sie wissen, was sich zu Hause zugetragen hat und weshalb ich hier bin."

Er liess seinen Landsmann los und beobachtete ihn gespannt. Pérez, der die ganze Zeit an Segura vorbei ins Leere gestarrt hatte, zögerte. Schliesslich wandte er dem General sein Gesicht zu, und ihre Blicke bohrten sich ineinander.

In diesem Augenblick tauchte der Professor auf und sagte zu Segura: „Seine Exzellenz wird in einigen Minuten hier sein."

Segura nickte, keineswegs überrascht. Der Botschafter befand sich wohl bereits seit seiner Landung am Flughafen und hatte aus sicherer Entfernung die Entwicklung der Dinge abgewartet, um doch noch an Ort und Stelle mit ihm sprechen zu können, falls die geplante Entführung misslingen sollte.

Der Professor entfernte sich, und Segura schaute wieder Pérez an. Dieser schien einige Augenblicke unschlüssig, mit sich selbst ringend. Schliesslich drehte er sich wortlos um und ging mit steifen Schritten zu seinem Sitz zurück. Segura folgte ihm.

Breitner hatte sich nach dem Gespräch mit Segura sofort in die Fernüberwachungszentrale begeben, von wo man sämtliche Hallen des Flughafengebäudes im Auge behalten konnte. Die Monitore wurden von uniformierten Polizeibeamten bedient. Auch Breitner sass nun vor einer Wand mit mehreren Bildschirmen. Er war gerade zurechtgekommen, um zu sehen, wie Pérez offenbar wütend hatte weggehen wollen, von Segura zurückgehalten worden war, und wie beide sich nach dem Auftauchen des Spitzbartes wieder hingesetzt hatten. Er wusste natürlich nicht, was das Ganze zu bedeuten hatte, und musste sich auf das blosse Beobachten der Szene beschränken. Die Augen auf das Monitorbild gerichtet, zog er ein Päckchen Zigaretten hervor und steckte sich eine in den Mund.

„Tut mir leid, Rauchverbot", hörte er jemand in seiner Nähe sagen. Er nickte seufzend und versorgte seine Zigarette wieder. Jedesmal, wenn ihn eine dienstliche Angelegenheit zum Flughafen heraus führte, musste er sich von neuem an das Rauchverbot in den hiesigen Polizeidiensträumen gewöhnen.

„In meinem Büro hättet Ihr keine Chance", antwortete er in gespielter Entrüstung, ohne seinen Blick vom Bildschirm zu nehmen, und der andere lachte.

Francisco Aragón, der luchadorianische Botschafter, betrat die Halle. Er befand sich in Begleitung seines Sekretärs und des Professors, der den beiden entgegengegangen war und sie nun zu Segura und Pérez führte. Diese erhoben sich von ihren Sitzen. Aragón blieb drei Schritte vor ihnen stehen, seine Augen auf Segura geheftet. Pérez beachtete er überhaupt nicht. Sein Begleiter stand neben ihm, und der Professor beobachtete sie alle aus kurzer Entfernung.

„Sie wollten mich sprechen?" sagte Botschafter Aragón steif.

Segura entnahm seinem Diplomatenkoffer den verschlossenen Umschlag und hielt ihn Aragón hin. „Diese Papiere müssen auf dem schnellsten Weg Costa überbracht werden." Er vermied absichtlich das Wort „Präsident".

Aragón senkte kurz seinen Blick auf den Umschlag und schaute Segura wieder ins Gesicht. Seine Stimme klang schroff. „Was soll die Drohung mit den Kubanern? Was wollen Sie hier?"

Segura trat nahe an ihn heran, damit kein Unbefugter seine Worte hören konnte. „In diesem Umschlag befinden sich Dokumente, welche, wenn sie in die falschen Hände geraten, El Luchador schweren Schaden zufügen können. Es sind Kopien. Die Originale besitze ich. Eine weiteres Exemplar des Berichtes liegt in einem Banksafe in der Schweiz. Falls mir etwas zustösst, wird es weitergeleitet."

Aragón zog die Augenbrauen hoch. „Weitergeleitet an wen? Was sind das für Dokumente? Sind Sie verrückt geworden?!"

Segura schüttelte den Kopf. „Zu Ihrer letzten Frage, Exzellenz: Nein, ich bin nicht verrückt geworden. Ganz im Gegenteil, mein Kopf war noch nie so klar wie jetzt. Sorgen Sie dafür, dass dieser Umschlag morgen auf Costas Schreibtisch liegt."

Aragón nahm das Paket zögernd an sich. Er versuchte, in Seguras Gesicht zu lesen.

„Ich nehme an", fuhr der General fort, „Sie werden gleich nach Ihrer Rückkehr in die Botschaft über unser Treffen nach Hause berichten. Erwähnen Sie dabei das Stichwort *Nueva Vida*."

Nach diesen Worten drehte er sich um und ging, gefolgt von Pérez, in Richtung Rolltreppe davon. Die Zurückgebliebenen schauten den beiden nach. Hinter dem maskenhaften Gesichtsausdruck Aragóns verbarg sich kalte Wut über die unerträgliche Demütigung, die er soeben hatte entgegennehmen müssen. Segura hatte es nicht für nötig gefunden, ihn, den Botschafter, in das mysteriöse Spiel einzuweihen, das hier ausgetragen wurde. Die Kubaner, *Nueva Vida*, der Umschlag mit dem geheimnisvollen Inhalt . . .

In der Nacht hatte Aragón Seguras Telegramm aus Boston erhalten mit der Aufforderung, ihn am Flughafen zu treffen. Die gleichzeitig aus Resistencia eingegangenen Weisungen hingegen hatten gelautet, den General nach dessen Landung – egal wie – zur Botschaft nach Bonn zu bringen und ihn dort bis zum Eintreffen Colunas und einiger weiterer Spezialisten der luchadorianischen Staatssicherheitsdienste festzuhalten. Aragón hatte die notwendigen Massnahmen angeordnet, doch darauf, dass die deutsche Spionageabwehr ebenfalls auf Segura wartete, war er nicht gefasst gewesen. Irgend jemand zu Hause hatte gepfuscht. Wie sonst hätten die Deutschen Wind von der Sache bekommen!

Botschafter Aragón betrachtete den dicken Umschlag in seinen Händen, und es wurde ihm klar, dass er keine Wahl hatte. Gerade weil er nicht wusste, was hier vor sich ging, musste er tun, wie Segura ihn geheissen hatte. Ob er wollte oder nicht.

Er wandte sich an seinen Begleiter. „Sorgen Sie für einen Kurier, der sofort abfliegen kann, und besorgen sie ihm einen Flugschein für die nächstbeste Maschine mit Anschluss nach Resistencia. Ich werde im Restaurant dort drüben warten."

Der Angesprochene entfernte sich, um seinen Auftrag auszuführen, und Aragón befahl dem in der Nähe stehenden Professor durch ein Kopfnicken, ihm zu folgen.

„Läuft die Überwachung Seguras?" fragte er, während sie sich nebeneinander auf das Restaurant am Ende der Halle zubewegten.

„Er kann keinen Schritt tun ohne unser Wissen, Exzellenz", antwortete der Agent. „Doch wir müssen sehr vorsichtig sein; die Deutschen sind auf uns aufmerksam geworden."

Auf einem Telefon, das vor ihm auf einer Konsole stand, wählte Breitner eine interne Nummer. Ein Beamter des Polizeiaussendienstes meldete sich.

„Hier Breitner. Veranlassen Sie die Personalkontrolle zweier Männer, der eine in dunklem Anzug, etwa einsachzig gross, um die sechzig, graues oder weisses Haar. Hat einen grossen Umschlag bei sich. Der andere klein, schlank, Stirnglatze, mit randloser Brille und Spitzbart. Trägt dunkle Leder- oder Baumwolljacke mit Strickborden. Die beiden betreten soeben das Restaurant in Ankunftshalle B."

„Welches Restaurant? Halle B hat zwei."

„Beim Durchgang zur Halle A."

„In Ordnung. Was sollen wir mit ihnen machen?"

„Überprüfung der Papiere, nichts weiter. Ihre Leute sollen es wie eine Routinekontrolle aussehen lassen."

„In Ordnung. Ich ruf zurück, sobald ich die Informationen habe."

Kurz danach betraten zwei Polizisten das Restaurant und schauten sich um. Der eine hielt ein dickes Fahndungsbuch in seiner Rechten. Ein grossgewachsener Mann, der soeben das Lokal verlassen wollte, wurde von ihnen angehalten und musste sich ausweisen. Die beiden Beamten kontrollierten die Papiere von insgesamt zwölf Personen, einschliesslich Aragón und Lopez, und verschwanden wieder. An ihnen vorbei betrat Aragóns Sekretär das Lokal.

„Alles arrangiert", sagte er, als er sich zum Botschafter und zu Lopez an den Tisch setzte. „Ein Kurier ist auf dem Weg hierher."

„Wer ist es?" fragte Aragón.

„Ayala. Ich habe für ihn einen Platz in der Lufthansa-Maschine von 11.05 Uhr gebucht."

Das Funkgerät von der Grösse einer Zigarettenschachtel unter Breitners Jackett piepste. Mit einem Handgriff löste er es von seinem Gurt und meldete sich. Es war Classen, einer seiner Männer, die in der Halle postiert waren. Classen war dem Sekretär des Botschafters gefolgt, als dieser sich zum Lufthansa-Schalter begeben hatte, und meldete nun seine Beobachtungen.

„Wo ist Schiller?“ fragte Breitner. Schiller gehörte ebenfalls zu seinen Leuten.

„Im Restaurant, an der Bar.“

„Gut, Ende.“

Kaum hatte Breitner die Funkverbindung unterbrochen, rief der Beamte des Aussendienstes an und teilte ihm mit, um wen es sich bei den zwei Männern im Restaurant handelte. Dabei erfuhr Breitner, dass der kleine Spitzbärtige sich als Leibwächter des Botschafters ausgewiesen hatte.

Während der nächsten dreiviertel Stunde geschah nichts. Dann rief der eine von zwei Beamten an, die Segura und Pérez gefolgt waren.

„Segura hat bei der Hotelvermittlung auf dem Flughafen ein Zimmer im Savoy reservieren lassen. Darauf sind er und Pérez mit dem Zug nach Frankfurt gefahren und haben sich geradewegs zum Hotel begeben.“

„Für wie lange hat Segura das Zimmer gebucht?“

„Für zwei Nächte.“

„In Ordnung. Observierung fortsetzen. Wenn Pérez das Hotel verlässt, folgt ihm einer von euch. Der andere bleibt bei Segura.“

„Verstanden.“

Nach weiteren zwei Stunden – Breitner hatte sich inzwischen dreimal vom Automaten im Korridor einen Becher Kaffee geholt – meldete sich per Funk erneut Classen aus der Ankunftshalle.

„Ein Mann ist noch hinzugekommen.“

Breitner erhob sich. „Ich komme. Ende.“

Als er bei Classen ankam, war auch Schiller, der sich im Innern des Lokals aufgehalten hatte, anwesend.

„Der Neue hat den Umschlag und den Flugschein übernommen“, berichtete er.

„Sie kommen raus“, sagte da Classen.

Sie befanden sich beim Zeitungsstand am anderen Ende

der belebten Halle, so dass sie von den vier Luchadorianern, die jetzt aus dem Restaurant kamen, nicht bemerkt wurden. Diese blieben nach einigen Schritten stehen. Der vierte Mann – es war der Kurier, auf den die anderen gewartet hatten – trug einen kleinen Handkoffer bei sich.

„Er hat den Umschlag im Koffer", bemerkte Schiller. Die Halle füllte sich noch mehr mit Menschen; die Passagiere einer soeben aus Singapore eingetroffenen Kursmaschine strömten herein. Classen entfernte sich, um in einer anderen Ecke, von wo er bessere Sicht hatte, Stellung zu beziehen.

„Der Weisshaarige ist der luchadorianische Botschafter", sagte Breitner zu Schiller.

„Der mit dem Spitzbart war mit dabei vorhin, als sie sich an Segura ranmachen wollten."

„Wir werden das gesamte luchadorianische Botschaftspersonal mal etwas näher unter die Lupe nehmen müssen." Breitner dachte an sein Gespräch mit Peréz, dem Flüchtling. „Die scheinen in der Bundesrepublik ein richtiges Überwachungsnetz aufgezogen zu haben. Glauben wohl, sie könnten bei uns Geheimpolizei spielen!"

Während Breitner noch sprach, verabschiedete sich der Kurier mit Händedruck von Botschafter Aragón und dessen Sekretär, nickte Lopez zu und entfernte sich. Die andern gingen in entgegengesetzter Richtung davon.

„Schau, ob sie zu ihren Wagen gehen", wies Breitner seinen Mitarbeiter an. Er selbst folgte dem Mann mit dem Köfferchen über die Rolltreppe in die Abflughalle hinauf bis zum Terminal, liess ihn die Ausreisekontrolle passieren und erkundigte sich anschliessend beim betreffenden Kontrollbeamten nach seiner Nationalität. Von der Auskunft befriedigt nahm er sein Funkgerät hervor und sandte ein Signal. Schiller meldete sich.

„Operation Ende“, sagte Breitner. „Kommt beide ins Büro.“

„Verstanden“, antwortete Schiller.

Fünf Miuten später trafen sie auf der Zentrale ein.

„Es war ein luchadorianischer Staatsangehöriger“, sagte Breitner. „Vermutlich ein Kurier. Was ist mit dem Botschafter und seinen Begleitern?“

„Die sind in ihren Autos weggefahren“, antwortete Schiller.

Breitner nickte. „Wir haben hier nur unsere Zeit vertrödelt. Segura ist unser eigentliches Sorgenkind. Er hat sich für zwei Nächte im Savoy in Frankfurt einquartiert. Sein Leben ist in Gefahr. Es steht für mich ausser Fragc, dass seine eigenen Landsleute ihm hier am Flughafen an den Kragen wollten.“

„Begreiflich“, sagte Classen. „Ein Überläufer von Seguras Rang ist pures Dynamit.“

„Ich glaube nicht an die Überläufer-Theorie. Dazu hätte er nicht nach Europa zu kommen brauchen. Kuba liegt viel näher bei El Luchador als Moskau. Segura will angeblich an den Kongress von Amnesty International in Basel. Warum nicht? Man hört ja so allerhand von dort, wo er herkommt. Und warum soll nicht auch einmal ein General Gewissensbisse bekommen?“

„Jedenfalls werden seine Verfolger ihn nun in Ruhe lassen. Die wissen inzwischen, dass wir mit dabei sind und ihnen auf die Finger schauen.“

„Solange, wie sich Segura auf Bundesgebiet aufhält“, warf Schiller ein. „Doch angenommen, sein Ziel ist wirklich Basel. Was geschieht dann?“

Breitner erhob sich. „Dann werden wir die Schweizer benachrichtigen und uns im übrigen freuen, das Problem losgeworden zu sein. Gehen wir! Hier gibt es für uns nichts mehr zu tun.“

Wenig später waren sie in ihren Wagen unterwegs nach Frankfurt, wo sich die Büros ihrer Dienststelle befanden.

VII

Das Hotel Savoy befindet sich in der Baselerstrasse, in unmittelbarer Nähe des Frankfurter Hauptbahnhofs. In einem Zimmer auf der vierten Etage sassen sich Segura und Pérez in Polstersesseln gegenüber. Auf dem niedrigen Rauchtisch zwischen ihnen lag ein Schnellhefter, der ein Bündel in spanischer Sprache beschriebener Blätter und zahlreiche Fotos zusammenhielt. Die Unterlagen, mit denen Segura in Basel vor den Kongress treten wollte. Pérez fixierte den Plastikeinband mit den Augen, ohne ihn jedoch anzurühren. Er zog es vor, von Segura persönlich über den Inhalt des Berichtes informiert zu werden.

Segura kam gleich zur Sache. „In El Luchador existiert eine Organisation, welche auf internationaler Ebene Handel mit menschlichen Organen treibt und diese Organe auch gleich selbst beschafft."

Pérez schaute ihn verständnislos an. „Wie meinen Sie das?"

„Zwei Spitäler in Resistencia haben Spezialabteilungen, in denen kräftige junge Männer und Frauen gefangengehalten werden. Man entnimmt ihnen bei Bedarf Organe, welche sich für eine Transplantation eignen, und verkauft diese an Interessenten in der ganzen Welt."

Pérez beugte sich in seinem Sessel etwas vor. Er sagte nichts, doch in seinen Augen stand der Schock, den Seguras Worte in ihm ausgelöst hatten. Dieser fuhr fort: „Die Opfer werden von einigen wenigen eingeweihten Militärärzten unter den Gefängnisinsassen des Landes ausgesucht und auf die Stationen – so heissen die betreffenden Abteilungen – verbracht. Dort bleiben sie weiterhin Gefangene, werden jedoch sehr gut genährt und gepflegt. Sie müssen natürlich gesund sein und stehen unter ständiger ärztlicher Überwachung. Bei Bedarf werden sie operiert, das heisst, man entnimmt ihnen eine Niere, die Hornhaut eines Auges oder beider, das Herz, kurz, was eben gerade verlangt wird. Die meisten müssen mehrmals herhalten: Zuerst mit den Organen, von denen der Mensch zwei besitzt, zum Schluss mit dem Herz. Die Spender können sich nicht wehren; sie werden streng bewacht und stehen dauernd unter Drogen, die sie willenlos machen. Die Stationen selbst befinden sich in den Kellergewölben der betreffenden Kliniken und sind hermetisch von der Aussenwelt abgeriegelt. Die Organe werden in Spezialbehältern direkt an ihre Bestimmungsorte geflogen, wo zahlungskräftige Empfänger auf sie warten. Die Begleitpapiere sind gefälscht, so dass nie jemand erfährt, woher sie wirklich stammen. Die Organisation trägt den Namen *Nueva Vida*."

Nueva Vida – Neues Leben. Pérez stützte seine Arme auf die Knie und begrub sein Gesicht in den Händen. Eine Weile sprach keiner. Schliesslich brach Segura das Schweigen. Er deutete auf den vor ihm liegenden Schnellhefter. „Die Papier da enthalten genaue Angaben über die ganze Sache."

Pérez hob den Kopf und liess die Hände sinken. Er beachtete die Papiere nicht. An seinem Gesicht war anzusehen, wie sehr er Mühe hatte, das Ausmass dessen, was er soeben erfahren hatte, zu erfassen. „Wie lange läuft das schon so?"

„Seit zwei Jahren."

„Wer gehört dazu?"

„Beinah die ganze Regierung; Costa, Perreira, Irribara, ausserdem einige Geschäftsleute, Armeeärzte, Offiziere und natürlich die Vermittler im Ausland. Eine Liste mit sämtlichen Namen befindet sich bei den Akten."

Pérez schüttelte fassungslos den Kopf. „Aber was ist mit

dem medizinischen Personal auf den Stationen? Das sind doch Ärzte, Krankenschwestern, Pfleger . . . ?"

„Alles sorgfältig ausgesuchte Leute. Der Chefarzt der Organisation – er ist zugleich leitender Arzt der einen Klinik – war früher ein berühmter Chirurg in Sao Paolo. Was in Brasilien Rang und Namen hatte, liess sich von ihm operieren. Eines Tages kam er dahinter, dass seine Frau, welche zwanzig Jahre jünger war als er, einen Liebhaber hatte, und drehte durch. Er narkotisierte sie im Schlaf und amputierte ihr eine Brust. Die Geschichte ging damals um die ganze Welt. Als er aus dem Gefängnis kam, durfte er nicht mehr praktizieren. Er war beruflich und gesellschaftlich erledigt und hätte nirgendwo mehr Arbeit als Arzt gefunden. Da setzte sich *Nueva Vida* mit ihm in Verbindung. Heute trägt er einen anderen Namen und leitet die medizinische Seite des Unternehmens. Ein weiterer beteiligter Arzt kommt aus Frankreich, wo er aus der französischen Ärztekammer ausgeschlossen wurde. Er hatte öffentlich die Meinung vertreten, Schwerverbrecher sollten, anstatt im Gefängnis zu sitzen, wo sie den Staat nur Geld kosteten, für ihre Taten büssen, indem sie als Organspender herhielten. Ein idealer Mitarbeiter. Es sind auch Leute dabei, die wegen schwerer Rauschgiftdelikte oder wegen Mordes international gesucht werden. Kriminelle, Wahnsinnige und Sadisten. Es ist viel leichter, solche Menschen zu finden, als Sie glauben. Die Ärzte der deutschen Konzentrationslager und ihre Helfer kamen nicht aus heiterem Himmel, sie waren schon vor der Gründung des Dritten Reiches da. Es gibt sie überall, auch heute. Sie werden immer da sein, in der Anonymität verborgen, jedoch bereit, ihre grausigen Talente zur Entfaltung zu bringen, sobald ihnen die geringste Gelegenheit dazu geboten wird. Wie ein Geschwür, das plötzlich aufbricht, wenn man es unkontrolliert wuchern lässt . . . "

Segura verstummte, als sei ihm erst jetzt klar geworden,

was seine Worte bedeuteten. Er hatte ein System angeklagt, an dessen Formung und Stärkung er nach Kräften mitgeholfen hatte. Er vermied es, Pérez anzusehen. Das Schlimmste hatte er ihm noch nicht erzählt.

Pérez, der es in seinem Sessel nicht mehr aushielt, erhob sich und trat ans Fenster. Die Fäuste auf das Fensterbrett gestützt, starrte er sinnend durch die getönten Scheiben auf die Strasse hinunter.

„Wie haben Sie von der Sache erfahren?" fragte er, ohne sich umzudrehen. Segura hatte die Frage erwartet und sie gleichzeitig gefürchtet. Er sass mit dem Rücken zum Fenster und schaute vor sich hin.

„Vor einem Jahr musste ich mich einer schweren Operation unterziehen." Er machte einen tiefen Atemzug, ehe er weitersprach. „Es handelte sich um eine Herztransplantation."

Die Worte rissen Pérez herum. Sein Blick frass sich förmlich in Seguras Rücken hinein.

„Ich erhielt das Herz eines Neunundzwanzigjährigen, der bei einem Autounfall ums Leben gekommen war", fuhr Segura fort. „Das war zumindest, was man mir erzählte. Man gab mir auch bereitwillig Auskunft über die Personalien des Verkehrsopfers – die natürlich gefälscht waren –, doch als ich die Absicht äusserte, mich bei seinen Hinterbliebenen für ihr Einverständnis zur Organentnahme zu bedanken, erfuhr ich, dass der Mann keinerlei Verwandte gehabt hatte. Erst viel später, als ich mich längst von der Operation erholt hatte und meinen Dienst wieder versehen konnte, erfuhr ich durch Zufall, woher mein neues Herz wirklich stammte. Der ‚Spender' war ein Gefangener von *Nueva Vida* gewesen. Damals erfuhr ich von der Existenz dieser Organisation."

Eine kurze Pause entstand.

„Was war das für ein Zufall?" fragte Pérez schliesslich.

„Eines Tages war ich mit José Irribara, unserem Aussenminister, unterwegs. Wir kamen von einem Empfang, den der neue argentinische Botschafter anlässlich seines Amtsantritts gegeben hatte. Irribaras Fahrzeug war nicht angesprungen, als er wegfahren wollte, worauf ich mich anerboten hatte, ihn in meinem Wagen mitzunehmen. Ich fuhr mein Privatauto; mein Fahrer war mit dem Dienstwagen unterwegs zum Flughafen, von wo er meine von einem Besuch in Caracas zurückkehrende Frau abholen und nach Hause fahren sollte. Es war ungefähr halb zehn Uhr. Irribara hatte am Empfang den Drinks zu sehr zugesprochen und war etwas angetrunken. Aus irgendwelchen Gründen musste er angenommen haben, ich wisse über dic kriminellen Aspekte im Zusammenhang mit meiner Operation Bescheid. Vielleicht hatte ihn auch ganz einfach der Alkohol unvorsichtig werden lassen und ihm die Zunge gelockert. Jedenfalls begann er auf einmal, seltsame Bemerkungen zu machen, mit denen ich anfänglich nichts anzufangen wusste. Er sprach von humanmedizinischer Forschung und von Fortschritt, von der Zukunft der Organverpflanzungs-Chirurgie. Ich liess ihn eine Weile reden, doch dann sagte er Dinge, die mich stutzig machten, Dinge wie ‚Jedem seine Niere', ‚Millionengeschäft' und ‚Lieferung sofort möglich'. Als ich ihn fragte, was er damit meine, verstummte er. Ihm war wohl plötzlich bewusst geworden, dass er einen gefährlichen Fehler begangen hatte. Nun war ich jedoch neugierig geworden, und ein vages Gefühl des Argwohns beschlich mich, während ich versuchte, ihn zum Weiterreden zu bewegen. Zwar begann er wieder zu sprechen, ohne jedoch meine Fragen zu beantworten. Im Gegenteil, er gab sich alle erdenkliche Mühe, mich vom Thema abzulenken, doch ich blieb hartnäckig und liess ihm keine Ruhe. Als Offizier im Generalsrang konnte ich mir eine gewisse Aufsässigkeit im Ton mit einem Regierungsmitglied erlauben.

An einer Kreuzung, an der wir warten mussten, schaute ich ihn an und bemerkte, dass er stark schwitzte. Obwohl mein Wagen mit einer Klimaanlage ausgerüstet war, standen auf Irribaras Stirn dicke Schweisstropfen. Als wir weiterfuhren, fragte ich ihn, ob er sich nicht wohl fühle, doch er antwortete sehr fahrig und ausweichend. Auf einmal wurde mir klar, dass er furchtbare Angst hatte und etwas vor mir zu verbergen suchte, etwas, das ich offenbar auf keinen Fall erfahren durfte. Es musste einen Zusammenhang geben zwischen seinen mysteriösen Anspielungen von vorhin und meiner Herzoperation. Der Gedanke daran bekräftigte mich in meinem Entschluss, sein Geheimnis aus ihm herauszuholen, koste es was es wolle. Bei der nächsten Gelegenheit hielt ich an und forderte ihn erneut auf, zu reden, wobei ich ihn richtiggehend anherrschte, doch er starrte mich bloss an, in Angstschweiss gebadet und ohne ein Wort herauszubringen. Da verlor ich den letzten Rest Respekt vor ihm, packte ihn an den Rockaufschlägen seines Smokings und schüttelte ihn zornig. Er schwieg. Es war, als hätte er die Sprache verloren. Ich öffnete das Handschuhfach und entnahm ihm eine Pistole, die ich immer im Wagen mitführte. Als ich die Waffe auf Irribara richtete, brach er schliesslich zusammen und erzählte mir alles über meine Herztransplantation. Ich wollte zuerst nicht glauben, was er mir erzählte, und stellte Fragen, immer wieder, in der Hoffnung, die ganze Geschichte würde sich schliesslich doch noch als sinnloses Geschwätz eines betrunkenen, idiotischen Ministers herausstellen. Doch dann sah ich ein, dass er die Wahrheit gesprochen hatte.

Ich weiss nicht mehr, wie lange wir so dasassen und redeten, doch während der ganzen Zeit hielt ich die Pistole auf Irribara gerichtet. Er zitterte jämmerlich und fürchtete, ich würde ihn auf der Stelle erschiessen. Mir war klar, was seine Enthüllungen für ihn und mich bedeuteten. Wenn die Organisation erfuhr, dass er geplaudert hatte, waren wir beide erledigt. Irribara beschwor mich, zu schweigen. Er war bereits halb tot vor Angst. Ich versprach ihm, die Sache für mich zu behalten unter der Bedingung, dass er mir über die Organisation sämtliche Informationen lieferte, die ich wünschte. Er zögerte und wand sich, doch schliesslich sagte er zu, worauf ich ihn vor seinem Haus absetzte. Anschliessend fuhr ich eine Stunde lang ziellos durch die Gegend. Einmal musste ich anhalten, weil ich zu sehr zitterte, als dass ich das Steuer noch ruhig hätte halten können. Mir war, als hätten sich Eisenringe um meine Brust gelegt, die mich am Atmen hinderten und mich langsam zu erdrücken drohten. Noch nie in meinem Leben war mir derart grässlich zumute gewesen. Lange sass ich in meinem geparkten Wagen und versuchte, mich zu beruhigen. Alles, mein Leben, die Welt, hatte sich schlagartig verändert. Ich wusste weder ein noch aus.

Auf meiner Irrfahrt war ich unverhofft in den Armenvierteln gelandet und hatte meinen Wagen zufällig gegenüber einer Kirche geparkt. Trotz einer katholisch-konservativen Erziehung hatte ich mir nie viel aus Religion gemacht. Beten verträgt sich nicht mit dem Soldatenberuf. Als ich jedoch an jenem Abend durch die Dunkelheit zur Kirche hinüberschaute, schien sie mir der einzige Ort, wo ich die nötige innere Ruhe finden würde, um mich zu sammeln. Etwas in mir war zerbrochen, etwas, das ich damals nur schwer hätte in Worte fassen können, das mich jedoch stets angetrieben hatte bei meiner Arbeit. Später erkannte ich, dass es meine Überzeugung gewesen war; die Überzeugung, immer richtig gehandelt zu haben, der Glaube daran, dass nur eiserne Disziplin und eine äusserst strenge Erziehung des Volkes unserem Land eine saubere gesellschaftliche und wirtschaftliche Entwicklung bringen konnte.

Einer inneren Stimme gehorchend stieg ich aus und betrat die Kirche. Es war ungefähr elf Uhr nachts und ausser mir war niemand da. Vor den Heiligenstatuen brannten noch die Stummel einiger Kerzen, welche offenbar von Gläubigen früher am Abend angezündet worden waren. Ich setzte mich auf eine Bank. Es ist merkwürdig, welch beruhigenden Einfluss brennende Kerzen auf einen haben. Ich sass bloss da und betrachtete die flackernden Flammen.

Einige Zeit verstrich, während der ich versuchte, Ordnung in meine Gedanken zu bringen. Plötzlich zeigte mir ein Geräusch an, dass ich nicht mehr allein war. Als ich mich umwandte, sah ich eine Gestalt in einer Soutane im Mittelgang stehen. Der Priester hatte sich mir bis auf wenige Schritte genähert und war dann stehengeblieben; vielleicht, weil er bemerkt hatte, dass ich eine Uniform trug. Im Schein der Kerzen konnte ich seine Gesichtszüge nur undeutlich sehen. Als er sich schliesslich wieder in Bewegung setzte und näherkam, sah ich, dass er sehr alt war. Er wollte etwas sagen, da bat ich ihn, von einem plötzlichen seelischen Bedürfnis getrieben, mir die Beichte abzunehmen. Mich quälten nicht nur Schuldgefühle gegenüber dem jungen Mann, der für mich hatte sterben müssen. Irgendwie, auf eine damals noch vage, undefinierbare Art empfand ich Mitverantwortung für die Existenz von *Nueva Vida*.

Der Geistliche liess sich nicht anmerken, ob er mich, vielleicht von Zeitungsfotos her, erkannt hatte. Er musste jedenfalls sehr überrascht gewesen sein, mitten in der Nacht einen Offizier der Streitkräfte in seiner Kirche anzutreffen, und verhielt sich äusserst kühl. Die Beichtstunde sei jeweils am frühen Abend; er sei gekommen, um die Kirche für die Nacht abzuschliessen. Ich bat ihn, mich trotzdem anzuhören, ich könne nicht mehr länger warten und müsse mit jemandem sprechen, jetzt gleich, auf der Stelle.

Ob meine Stimme etwas über den Gefühlssturm veraten hatte, der in mir tobte, oder ob er es angesichts der respektheischenden Uniform doch für ratsam hielt, meiner Bitte nachzukommen; jedenfalls setzte er sich nach einigem Zögern neben mich auf die Bank. Als ich mich vorsichtshalber nochmals umschaute, sagte er: ‚Wir sind allein.'

Ich begann einfach zu reden, sagte ihm, wer ich war und erzählte, was ich selbst erst vor etwas mehr als einer Stunde erfahren hatte. Er sass mit steifem Oberkörper da und schaute, während er mir zuhörte, unentwegt geradeaus, ohne auch nur die geringste Regung zu zeigen. Als ich nichts mehr zu sagen hatte, sass er noch einen Augenblick still wie eine Statue neben mir. Dann erhob er sich. Ich werde es nie vergessen. Er ging langsam nach vorne und stieg die Steinstufen zum Altar empor. Im Halbdunkel sah ich die Umrisse seiner Gestalt, wie sie sekundenlang reglos vor dem Altar stand. Plötzlich holte er mit beiden Armen aus und liess seine Fäuste auf die Steinplatte des Altars niedersausen, während er einen lauten Schrei ausstiess. Es war mehr als ein Schrei: ein schreckliches Aufheulen, das in haltloses Schluchzen überging. Dann drehte sich der Pfarrer zu mir um und schrie: ‚Was wollen Sie? Die Absolution?! . . . ' Ich antwortete nicht. Was hätte ich sagen sollen? ‚Wollen Sie die Absolution, General?!' schrie er wieder. Ich schwieg. Da stieg er die Altarstufen herunter und kam durch den Mittelgang auf mich zu. ‚Die Absolution für einen Knecht des Satans!' stiess er hervor. Er stand vor mir und starrte auf mich herunter, sein Gesicht entstellt von Entsetzen und Hass – und Hilflosigkeit.

Die Situation war unerträglich, ich fühlte, dass ich etwas tun musste, und sprach spontan einen Gedanken aus, der mir in diesem Moment eingefallen war. ‚Ich will Costa stürzen.' ‚Costa stürzen? . . . ' wiederholte er. Sein Ton verdeutlichte, was er davon hielt, wenn ich so etwas sagte.

Ebensogut hätte Luzifer zu ihm sagen können: ‚Hilf mir, ich will die Hölle abschaffen.'

Ich fasste einen Entschluss. Durch die Beichte hatte ich den Pfarrer zum Mitwisser gemacht, wobei ich mich in diesem speziellen Fall nicht auf seine Verschwiegenheit als Beichtvater, auf die Wahrung des Beichtgeheimnisses, verlassen konnte. Ich erhob mich von der Bank und sagte ihm, dass ich ihn am folgenden Abend aufsuchen wolle. Gleichzeitig beschwor ich ihn, während den nächsten vierundzwanzig Stunden zu schweigen. Ich brauchte mindestens einen Tag, um mir über meine nächsten Schritte klar zu werden, und verliess die Kirche im Bewusstsein, mich einem Geistlichen ausgeliefert zu haben. Ich hoffte nur, er habe die Nerven, bis zum nächsten Abend zu warten, ehe er etwas unternahm. Er hätte die Möglichkeit gehabt, die Informationen an eine ausländische Nachrichtenagentur oder Botschaft weiterzuleiten. Ohne Beweise hätte er allerdings nichts erreicht, ausser dass er, Irribara und ich mit Sicherheit liquidiert worden wären.

Doch er tat nichts dergleichen. Am Abend darauf besuchte ich ihn in seiner Pfarrwohnung neben der Kirche. Er hatte sich wieder völlig in der Gewalt, war jedoch sehr kalt und misstrauisch, was mich weder verwunderte noch kränkte. Wir sprachen drei Stunden lang miteinander. Es kam zu weiteren Zusammenkünften, während denen es mir schliesslich halbwegs gelang, ihn von der Aufrichtigkeit meiner Absichten zu überzeugen. Ich war fest entschlossen, Costa zu entmachten, doch nicht nur das. Während den Tagen und Wochen nach meiner Autofahrt mit Irribara begann ich, ein regelrechtes Doppelleben zu führen. Obwohl ich noch immer meinen Dienst als Chef der Luftwaffe versah, distanzierte ich mich innerlich immer mehr von dem, was ich tat. Was immer der ausschlaggebende Grund gewesen sein mochte, Irribaras Geständnis, das in mir einen ungeheuren Schock ausgelöst hatte, oder meine stundenlangen Diskussionen mit dem Pfarrer, oder beides: Ich begann, vieles anders zu sehen und kam zum Schluss, dass es nicht damit getan war, die jetzige Junta durch eine andere zu ersetzen. Das wäre bloss ein Austausch von Namen, die Situation selbst wäre nachher nicht viel anders. Mir wurde ausserdem klar, dass ohne Hilfe von aussen in El Luchador keine wirklichen Veränderungen herbeigeführt werden konnten.

Parallel zu meinen Besuchen im Pfarrhaus liess ich mir von Irribara jedes kleinste Detail über *Nueva Vida* erklären. Ich brachte ihn sogar dazu, mir Fotos vom Innern der Stationen zu besorgen und geheime Dokumente zu kopieren. Als ich soviele Beweise hatte, dass die Welt sich würde überzeugen lassen müssen, fertigte ich von den Unterlagen zwei Kopien an. Die eine vertraute ich an einem durch den Pfarrer vermittelten Treffen einem Schweizer Diplomaten an, der sich bereit erklärt hatte, die Papiere für mich in die Schweiz mitzunehmen und sie dort bei einer Bank zu hinterlegen. Die zweite Kopie übergab ich heute vormittag unserem Botschafter, damit er sie Costa zukommen lasse. Das Original liegt hier . . ."

Segura brach ab. Er hatte alles erzählt, was wichtig war. Pérez, der sich während des Zuhörens vom Fenster entfernt und auf die Bettkante gesetzt hatte, musterte Segura von der Seite. War es möglich, dass ein Mensch plötzlich bereit war, ein System zu bekämpfen, das er sein ganzes Leben lang nach allen Kräften verteidigt hatte? Konnte ein Erlebnis, wie es dem General widerfahren war, eine derart einschneidende Wende im Leben eines Menschen bewirken? Hatte es Segura wirklich die Augen geöffnet?

Pérez brach das Schweigen, welches sich über sie gelegt hatte. „Wie stellen Sie sich eine neue Regierung vor?"

Segura rieb sich, vom langen Flug und der Zeitverschiebung sichtlich erschöpft, die Augen. „Es gilt sicherzustellen, dass sich Dinge, die unter Costa möglich geworden sind, nie mehr wiederholen können. Das Volk soll bestimmen, von wem es regiert werden möchte. Die Männer und Frauen, die das Land führen wollen, sollen von den Luchadorianern dazu ermächtigt sein, egal, welcher Herkunft sie sind oder welcher politischer Gruppierung sie angehören. Sie sollen auch wieder von ihren Posten entfernt werden können von denen, die sie gewählt haben. Nur so kann eine Regierung gezwungen werden, für das Wohl des Landes zu arbeiten. Sie muss vom Volk kontrolliert werden." Seine Hände ballten sich zu Fäusten. „Die Regierung darf nicht das Volk beherrschen, sondern sie muss vom Volk beherrscht werden! Das ist es, was wir falsch gemacht haben in El Luchador . . . "

„Würden Sie einen Sozialisten als Präsidenten akzeptieren?"

„Ich würde ihm meine Stimme nicht geben, doch wenn er von der Mehrheit gewählt würde, dann wäre er auch mein Präsident."

„Und die USA? Die würden doch da nicht untätig zuschauen! Das hat man ja schon bei Arbenz in Guatemala und bei Allende in Chile gesehen."

„Mit uns werden sie nicht auf die gleiche Weise verfahren können, wie sie es mit Arbenz und Allende getan haben. Die Veröffentlichung meines Berichtes wird für sie einen gewaltigen Prestigeverlust bedeuten. Dass sie von *Nueva Vida* nichts gewusst haben, spielt dabei keine Rolle. Sie sind mitschuldig, da die Machtverhältnisse in El Luchador sich nur durch ihre Hilfe zu dem haben entwickeln können, was sie heute sind. Sie haben, wenn auch nicht bewusst, *Nueva Vida* ermöglicht und werden uns deshalb vielleicht auch dann helfen, wenn unser neuer Präsident nicht nach ihrem Geschmack sein sollte. Schliesslich wird es für sie darum gehen, ihre moralische Glaubwürdigkeit vor der Weltöffentlichkeit wieder herzustellen."

Pérez überlegte einen Augenblick, dann wechselte er das Thema. „Sie sprechen fliessend Englisch, würden sich also in Europa sehr gut alleine zurechtfinden. Sie hätten von Boston aus direkt in die Schweiz fliegen können. Basel ist vom internationalen Flughafen Zürich viel schneller zu erreichen als von hier. Weshalb sind Sie in Frankfurt gelandet? Weshalb haben Sie mich zum Flughafen bestellt?"

Auch diese Frage kam für Segura nicht unerwartet. Natürlich hätte er auch ohne Pérez zum Kongress gehen können. Er schaute seinen Landsmann an. „Wie ich Ihnen am Flughafen bereits gesagt habe, möchte ich, dass Sie mich begleiten." Er senkte den Blick auf seine Schuhspitzen. „Am Flughafen in Boston verspürte ich zum ersten Mal Angst. Ich war zu spät für den Flug nach Zürich, wollte jedoch weg sein, ehe man meine Abwesenheit im Hotel bemerkte. Deshalb nahm ich die Maschine nach Frankfurt. Wenn ich nicht hier gelandet wäre, hätte ich Sie telegrafisch direkt nach Basel gebeten. Ihre Adresse habe ich mir aus den Archiven des DGI besorgt."

„Aber warum mich? Was nützt Ihnen meine Anwesenheit?"

Segura zögerte. Schliesslich schaute er Pérez geradewegs in die Augen. „Sie waren ein bedeutender Mann des politischen Widerstands in El Luchador. Obwohl ich Ihre genaue Anschrift nicht kannte, wusste ich, dass Sie hier in Frankfurt leben. Solcherlei spricht sich in meinen Kreisen in Resistencia herum. Es lag für mich deshalb nahe, Sie zu kontaktieren. Ich möchte, dass Sie mir helfen. Ich brauche Unterstützung, damit ich das Ganze durchstehe, damit es mich nicht erdrückt . . . "

Seine Hand wollte am Körper hochfahren, unter die Jacke, wo das Herz schlug, das ihm nicht gehörte. Mit

Mühe unterdrückte er die Bewegung. Wie konnte er Pérez sein Verlangen erklären, jemanden an seiner Seite zu haben in den vor ihm liegenden Tagen? Er suchte nach Worten.

Pérez kam ihm in keiner Weise entgegen. Er sass nur da und schaute ihn an. Der in ihm stets gegenwärtige Hass und die Verachtung, welche noch am Flughafen frei aus ihm herausgebrochen waren, wurden nun von Unsicherheit überlagert. Er wusste nicht mehr, wie er sich verhalten sollte. Segura musste, wenn alles stimmte, was er erzählt hatte, ein verzweifelter Mann sein. Selbst wenn sein Auftreten am Kongress den erhofften Erfolg bringen sollte: Glücklich würde der General nie mehr werden.

„Übermorgen wird die ganze Welt erfahren, auf welche Weise ich zu meinem neuen Herzen gekommen bin", sagte Segura leise. „Ich werde der Mann sein, der nicht mehr am Leben sein dürfte. ich möchte, dass Sie mich das letzte Stück Weg begleiten. Damit ich es ganz sicher schaffe."

Er fühlte, wie einsam er war. Jeder Atemzug, jeder Herzschlag erinnerte ihn daran. Es war unmöglich, solch innere Not nach aussen zu tragen, sie jemandem mitzuteilen. Dieses Gefühl der Verzweiflung würde ihn nie verlassen. Er war ein Verdammter.

„Welche Reaktion erwarten Sie von Costa?" fragte Pérez. Er wollte dem Gespräch eine andere Richtung geben, um seine Verlegenheit zu verbergen.

„Er wird versuchen, mich aufzuhalten." Segura beugte sich zum Schnellhefter auf dem Rauchtisch, löste das erste Blatt heraus und reichte es Pérez. „Dies ist die Kopie des Briefes, den ich ihm zusammen mit den Unterlagen gesandt habe."

Pérez nahm das Schriftstück und las es durch. Der Text war kurz und ohne Anrede:

Den Bericht, von dem ich Ihnen hiermit eine Abschrift zukommen lasse, werde ich am Kongress von Amnesty

International in Basel veröffentlichen. Eine weitere Kopie befindet sich auf einer Bank in der Schweiz in Sicherheit. Sollte mir etwas zustossen, wird sie sofort an AI weitergeleitet.

Segura

Pérez schaute auf. „Ich verstehe nicht, was Sie damit bezwecken."

„Ich will Zeit gewinnen. Costa wird von Aragòn benachrichtigt, dass ein Kurier mit einer Botschaft von mir unterwegs ist, und wird keine weiteren Massnahmen gegen mich anordnen, solange er nicht weiss, was ich ihm mitzuteilen habe. Solange der Kurier im Flugzeug sitzt, während der nächsten vierzehn bis sechzehn Stunden also, bin ich sicher. Dann wird Costa Bescheid wissen, und endgültig vor der Frage stehen, mich zu liquidieren oder nicht. Tut er es, wird die Bank die bei ihr hinterlegte Kopie Amnesty International zukommen lassen. Tut er es nicht, werde ich persönlich den Bericht veröffentlichen."

„Glauben Sie wirklich, er wird Sie deswegen ungehindert am Kongress sprechen lassen?"

„Das lässt sich natürlich nicht mit hundertprozentiger Sicherheit voraussagen. Er wird sich wohl kaum aufs Abwarten und Daumendrehen beschränken, sondern vielmehr einen Ausweg aus seiner Situation suchen. Ich wüsste zwar nicht, was er in den vierundzwanzig Stunden, die ihm dazu noch bleiben, unternehmen könnte. Vielleicht wird er versuchen, mich umzustimmen, mich zurückzukaufen.

Für die Glaubwürdigkeit meines Berichtes ist es ausserordentlich wichtig, dass ich ihn persönlich veröffentliche. Ich hätte ihn ja bereits in Resistencia einem ausländischen Journalisten oder einer internationalen Nachrichtenagentur zuspielen können, ohne damit um die halbe Welt zu fliegen. Das wäre allerdings mein sicherer Tod gewesen.

Ausserdem: Welche Wirkung würde der Bericht wohl noch erzielen, wenn sein Verfasser und einziger Zeuge nicht mehr lebte, wenn er ganz einfach von der Bildfläche verschwunden wäre? Diese Überlegungen bewogen mich, selbst nach Basel zu reisen. Costa könnte sich über diesen Punkt ebenfalls Gedanken machen, sobald ihm klar wird, dass er ausgespielt hat. Sozusagen als letzten Ausweg wird er vielleicht in Erwägung ziehen, mich umbringen zu lassen. Dann könnte er versuchen, meinen Report, der ja trotzdem veröffentlicht würde, als Fälschung eines unzufriedenen Offiziers hinzustellen. – Segura, ein korrupter luchadorianischer General, der sich in den Sold Moskaus gestellt und versucht hat, sein Land vor der Weltöffentlichkeit zu diskreditieren. – Riskant, doch nicht ganz auszuschliessen. Eine Version jedenfalls, welche den westlichen Nationen erlauben würde, mit einem Schulterzucken zur Tagesordnung überzugehen."

Er blieb beim Fenster stehen und schaute mit auf dem Rücken verschränkten Händen hinaus. Und als er fortfuhr, kümmerte es ihn nicht, dass die Worte, die er sprach, von ihm kommend, in den Ohren seines Landsmannes geradezu zynisch klingen mussten. „Die Wahrheit interessiert den Menschen nur, solange sie ihm nützlich ist. Erzählt man ihm jedoch etwas, das ihn belasten könnte, weil es nicht in sein Weltbild passt, weist er es als ‚höchst unwahrscheinlich' oder als ‚zu schrecklich, um wahr zu sein' zurück." Er drehte sich für die nächsten paar Sätze zu Pérez um. „Verstehen Sie nun, warum ich bei der Veröffentlichung des Berichtes unbedingt anwesend sein muss? Ich bin der lebende Beweis für das, was in El Luchador geschieht. An mir wird man sich nicht vorbeidrücken können. Man wird reagieren müssen!"

Pérez starrte düster vor sich hin.

„Nehmen wir einmal an", sagte er schliesslich, „Sie können Ihren Plan, am Kongress zu sprechen, durchführen. Wie soll es nachher weitergehen?"

„Ich kann Ihnen keine konkreten, ausgearbeiteten Pläne anbieten. Wir werden improvisieren müssen. Die amerikanische Öffentlichkeit wird sicher das Image der USA bezüglich Lateinamerika aufpolieren wollen und ihrem Präsidenten entsprechend einheizen. Derart moralisch unter Druck gesetzt, sähe dieser sich gezwungen, Costa fallen zu lassen. Costa stünde plötzlich isoliert da. Natürlich könnte er trotzdem noch eine Weile weiterregieren, doch ohne amerikanische Militärberater und Finanzhilfe wären seine Tage gezählt. Die Bevölkerung würde sich durch die veränderte Situation dazu ermutigt fühlen, sich nochmals aufzubäumen und, vielleicht mit Hilfe einzelner vernünftiger Offiziere und deren Einheiten, die Regierung zu stürzen. Dann wäre der Weg frei für einen Wiederaufbau des Landes."

Bei den letzten Worten Seguras schoss Pérez das Blut in den Kopf. Dem General zuzuhören, wenn dieser von Wiederaufbau sprach, kostete ihn einiges an Selbstüberwindung. Es gelang ihm, seiner Stimme einen neutralen Klang zu geben. „Sie haben doch vorhin selbst gesagt, dass wir das Land aus eigenen Kräften nie hochkriegen werden. Wer soll uns also dabei helfen?"

„Wir werden Hilfe annehmen, von wem auch immer sie uns geboten wird."

„Wer uns Hilfe bietet, wird uns Bedingungen stellen, wird verlangen, dass wir nach seiner Pfeife tanzen. Der Rückfall in den alten Teufelskreis wäre vorprogrammiert."

„Das werden wir eben verhindern."

„Wie?"

Eine kurze Pause entstand, dann antwortete Segura: „Ich weiss es nicht. Ich bin Soldat, nicht Politiker." Er nahm die Gelegenheit wahr, das Thema zu wechseln. „Und

Soldat werde ich bleiben. Die Armee ist das einzige, worauf ich mich verstehe. Ich wüsste nicht, was ich sonst tun sollte. Es wird für Soldaten auch nach der Befreiung noch genug zu tun geben."

„Was wollen Sie damit sagen?" Der Argwohn in Pérez' Stimme war diesmal nicht zu überhören.

„Wir können aus El Luchador nicht über Nacht ein Paradies machen. Demokratie bedeutet nicht automatisch Wohlstand für alle. Es wird weiterhin Reiche, Arme und, zumindest noch für eine Weile, wirklich Hungernde geben. Ein guter Nährboden für Aufwiegler, Unruhestifter und Gewaltanbeter jeglicher politischer Schattierung. Eine bewegliche, gut gerüstete Armee wird notwendig sein, um die mit Sicherheit auftretenden Terror- und Rebellenbewegungen in Schach zu halten." Er warf Pérez einen kurzen Blick zu und schüttelte zur Unterstreichung seiner Worte den Kopf. „Nein, der Soldat wird nicht überflüssig, lediglich der Sinn seines Daseins wird sich ändern."

Pérez wollte die Bedeutung von Seguras Worten nicht wahrhaben. Zu sehr hatte er in seinem Leben Soldaten fürchten und hassen gelernt, um sie sich nun als Friedenshüter vorstellen zu können. Doch da war die Vernunft. Und diese Vernunft, die oft auf recht schmerzliche Weise das Gegenteil dessen befahl, was das Herz sich ersehnte, sagte ihm, dass der General recht hatte. Demokratie in El Luchador, sollte sie je verwirklicht werden, würde einer zarten Blume gleichen, die beim geringsten Windstoss ihre Blätter verlieren konnte. Sie würde geschützt werden müssen, indem man die Hand um sie legte, jedoch ohne sie durch Berührung zu beschädigen. Die schützende Hand, welche zerstörerische Einflüsse von ihr fernhalten sollte, konnte nur von einer starken Macht kommen, wie die Armee sie darstellte. Soldaten waren immer gefragt. Recht wie Unrecht liess sich letztlich nur mit ihrer Hilfe durchsetzen.

Segura würde, falls sein Plan echt war und er damit Erfolg haben sollte, weiterhin seine Einheiten befehligen. Pérez hätte weinen können vor hilfloser Wut angesichts der bitteren Ironie, die in dieser Erkenntnis lag.

Er war enttäuscht darüber, dass Segura ihm ausgewichen war vorhin, als sie über ausländische Hilfe gesprochen hatten. Anderseits wusste er auch, dass beim Vorhaben des Generals zuviele unberechenbare Faktoren mitspielten, als dass eine auch nur einigermassen sichere Prognose hätte gestellt werden können.

Pérez vertauschte die Bettkante, auf der er bis jetzt gesessen hatte, mit seinem Sessel, zog den Schnellhefter auf dem Rauchertisch zu sich heran und begann zu lesen.

Gegen Mittag verliess er das Hotel mit einer Liste persönlicher Dinge, die Segura für die nächsten Tage benötigte, und kam eine Stunde später mit einer Reisetasche, die Wäsche und Toilettenartikel enthielt, zurück. Sie sprachen noch eine Weile miteinander, dann verabschiedete er sich.

„Ich rufe Sie morgen früh an", meinte er zu Segura, ehe er ging. Noch mochte er nicht zusagen, mit nach Basel zu reisen. Segura wollte ihn bitten, noch etwas zu bleiben, doch er unterdrückte sein Verlangen. Nachdem er die Tür hinter Pérez geschlossen hatte, legte er sich auf das Bett, ohne jedoch Schlaf zu finden.

VIII

Geheime Nachrichtendienste dienen den Regierungen, für die sie arbeiten und von denen sie kontrolliert werden, offiziell zur Wahrung der nationalen Sicherheit der betreffenden Länder. Es liegt in der Natur solcher im Verborgenen, meist ausserhalb der Legalität operierender Organisationen, dass man sich ihrer auch dann bedient, wenn es weniger um die nationale Sicherheit als um die gewaltsame Durchsetzung wirtschaftlicher oder politischer Machtansprüche ausserhalb der eigenen Grenzen geht. Ihr unbestrittener Vorteil liegt darin, dass über die moralische Rechtfertigung ihrer Aktionen der Öffentlichkeit keinerlei Rechenschaft abgelegt werden muss.

Die Zentrale des amerikanischen Auslandgeheimdienstes *Central Intelligence Agency*, oder CIA, befindet sich bei der Ortschaft Langley im Bundesstaat Virginia. Dort sass um drei Uhr nachts John Wesley, vierundfünfzig Jahre alt und leitender Direktor, an seinem Schreibtisch und starrte auf das Blatt in seiner Hand. Es war die entschlüsselte Version einer Nachricht, welche aus der US-Botschaft in Resistencia empfangen worden war und von Irribaras Flucht in die Botschaft und von seinen Enthüllungen berichtete. Auf einem Stuhl vor dem Schreibtisch sass der um einige Jahre jüngere Ernie Holland, verantwortlich für Mittel- und Südamerika. Er war nach Eintreffen des Funkspruchs vom Nachtdienst aus dem Schlaf gerissen worden und sofort ins Büro gefahren. Der diensthabende Beamte hatte am Telefon aus Sicherheitsgründen keine genauen Angaben über den Inhalt der Nachricht machen dürfen. Nach Lesen des Textes jedoch hatte Holland ausser dem Direktor gleich noch George Porter, Leiter der Abteilung Westeuropa, aus dem Bett holen lassen.

Wesleys Gesicht war bleich und wirkte steinern, doch hatte dies nichts mit Schlafmangel zu tun. Immer wieder schüttelte er ungläubig den Kopf.

„Das ist nicht wahr“, sagte er. „So etwas ist nicht möglich!“

„Unsere Leute in Resistencia sind überzeugt, dass Irribara die Wahrheit spricht“, antwortete Holland. „Ich habe jedenfalls Porter benachrichtigt. Er sollte eigentlich jeden Augenblick eintreffen.“

Wie zur Bestätigung öffnete sich die Tür und der Genannte, ungefähr gleich alt wie Holland, kam herein.

„Hallo, gut geschlafen?“ sagte er trocken zum Gruss, doch noch ehe er auf dem Stuhl neben Holland Platz nehmen konnte, hatte Wesley ihm das Blatt mit der Nachricht über die Schreibtischplatte zugeschoben. Porter ergriff es, setzte sich und begann zu lesen. Nach den ersten Sätzen versteifte sich seine Haltung. Er las die Nachricht zweimal durch, während ihn die beiden anderen schweigend beobachteten. Dann schaute er auf. „Das soll wohl ein Scherz sein . . .“

Holland schüttelte den Kopf. „Es ist kein Scherz, George. Und wir stecken mitten drin, bis zum Hals!“

Porter schaute wieder auf den Text hinunter, während er sich mit der freien Hand durch sein volles, schwarzes Haar fuhr.

„Heilige Maria“, sagte er langsam, während er einzelne Zeilen nochmals überflog. „Heilige Maria!“

Holland sass mit zusammengekniffenen Lippen vornübergebeugt auf seinem Stuhl, die Ellbogen auf den Knien, mit der rechten Faust in langsamem Rhythmus auf die Innenseite der linken Hand schlagend.

„Dreckhunde!“ presste er hervor. „Da unterstützen wir sie jahrelang, damit sie sich behaupten können, und die bedanken sich dafür, indem sie –“ er suchte nach einem geeigneten Ausdruck, „– indem sie uns auf den Teppich scheissen! Es ist kaum zu glauben. Die ganze gottverdammte Regierung ist in die Sache verwickelt. Unter unseren Augen, praktisch unter unserem Schutz!“

„Ich glaube nun auch zu wissen, weshalb Segura nach Frankfurt geflohen ist“, sagte Porter. „In der Schweizer Grenzstadt Basel, wenige Eisenbahnstunden von Frankfurt, findet ein Kongress von Amnesty International statt.“ Er schaute mit einem vielsagenden Blick vom einen zum andern.

„Wann?“ fragte Holland.

„In einigen Tagen, aber das genaue Datum weiss ich nicht auswendig. Ich werde mich gleich nach dieser Besprechung darum kümmern.“

Wesley, der bisher schweigend zugehört hatte, wandte sich an Porter. „Wann kommt Segura in Frankfurt an?“

Der Angesprochene schaute auf seine Armbanduhr. „In Deutschland ist es jetzt neun Uhr vormittags. Bei planmässigem Flug müsste seine Maschine vor eineinhalb Stunden gelandet sein. Nachdem uns gestern abend die Luchadorianer von Seguras Flucht benachrichtigt hatten, gab ich unseren Leuten in Frankfurt den Auftrag, ihn nach seiner Ankunft dort zu observieren.“

„Der Mann muss gestoppt werden. Die Sache mit *Nueva Vida* darf nicht an die Öffentlichkeit dringen. Die Organisation wird selbstverständlich zerstört. Wir werden Costa mit der Aussage seines Aussenministers konfrontieren und ihn dazu bringen, zu kooperieren.“

„Was soll das heissen?“ fragte Porter.

„*Nueva Vida* muss verschwinden. Wenn wir jedoch zuliessen, dass Segura sein Wissen veröffentlicht, käme es zu einer Katastrophe. Niemand würde glauben, dass wir nichts davon gewusst haben. Der moralische Schaden für die Vereinigten Staaten wäre ungeheuerlich. Soweit darf es auf keinen Fall kommen.“

Porter wusste, was diese Worte bedeuteten. Segura musste zum Schweigen gebracht werden, ehe es zu spät war.

„Und was geschieht mit Costa?" fragte er.

Wesley betrachtete seine Hände, die auf der Schreibtischkante lagen. „Was schlagen Sie vor, Ernie?"

Der Chef der Abteilung Lateinamerika zuckte mit den Schultern. „Wir sorgen dafür, dass er *Nueva Vida* auflöst, und lassen es dabei bewenden."

Porter schaute von einem zum andern. „Sie wollen Costa weiterregieren lassen?"

„Wir haben keine andere Wahl, George", erwiderte Holland. „Mit der Beseitigung Costas allein wäre es ohnehin nicht getan. Wir müssten schon sein ganzes Kabinett austauschen. Wie sollten wir das jedoch bewerkstelligen? Sollen wir ihn und seine ganze verfluchte Mannschaft umbringen lassen? Was nützt uns das? Und was nützt es den armen Teufeln, die beim Organespenden bereits draufgegangen sind? Die Hauptsache ist doch, dass die Organisation zerschlagen wird. Ob Costa weiterregiert oder ein anderer mit der gleichen Mentalität seine Stelle einnimmt, ist doch völlig egal!"

„Verdammt, Ernie, es geht um unsere Glaubwürdigkeit, verstehen Sie! Nicht nur um unsere Glaubwürdigkeit gegenüber der Welt, sondern auch gegenüber uns selbst! Weshalb lecken wir dieses Schwein noch am Arsch? Wie lange verspricht er nun schon, seine Regierungsmethoden zu ändern und mehr Wert auf die Beachtung der Menschenrechte zu legen? Was tut er stattdessen? Sein Land ist schlimmer dran als je zuvor. Und wir helfen ihm dabei! Und jetzt noch das hier . . ." Er fuchtelte mit dem Blatt Papier in seiner Hand. „Was braucht es noch? Ein Mann mit seinen Eigenschaften würden wir hier bei uns höchstens in einem Schlachthaus beschäftigen. In El Luchador jedoch kann er sich dank unserer Hilfe aufführen wie ein Wahnsinniger! Wir –“

„George“, unterbrach ihn Wesleys tiefe, starke Stimme, „wir haben weiss Gott keine Zeit für Grundsatzdiskussionen. Ich werde noch heute vormittag mit dem Weissen Haus telefonieren. Wenn der Präsident wünscht, dass wir bezüglich Costa etwas unternehmen, werden wir das tun. Wenn nicht, bleibt Costa im Amt. Er ist ein Schwein. Wir wissen es, doch wir brauchen ihn. Mehr gibt es dazu wohl nicht zu sagen. Sie beide werden ab sofort nur noch direkt, unter Ausschaltung aller hierarchischen Zwischenstellen, mit unseren Leuten in Resistencia und in Europa in Kontakt treten. Die Sache unterliegt der höchsten Geheimhaltungsstufe. Ich nehme an, Sie haben Ihren Auftrag verstanden?“

Die beiden nickten. Ans Nachhausegehen und Weiterschlafen war nicht zu denken. In Resistencia und in Frankfurt würde die Situation sich in den kommenden Stunden zuspitzen. Da war ihre Anwesenheit hier in der Zentrale, wo alle Fäden zusammenliefen, absolut erforderlich.

„Was geschieht mit Irribara, Ernie?“ fragte Porter.

„Der ist in dem Augenblick, wo er unsere Botschaft in Resistencia verlässt, ein toter Mann, soviel dürfte klar sein. Nicht dass es mir um ihn leid täte, doch einen Informanten nach geleisteten Diensten seinen Jägern auszuliefern würde unserer bisherigen Praxis widersprechen. Wir werden ihn wahrscheinlich in die USA rüberholen und mit einer neuen Identität versehen. Doch das kann warten. Im Augenblick haben wir andere Sorgen.“

Die beiden Abteilungsleiter erhoben sich. Nachdem die Tür sich hinter ihnen geschlossen hatte, blieb Wesley noch eine kurze Weile in Gedanken vertieft sitzen. Beide, Porter und Holland, hatten recht, dachte er. Einerseits waren Leute wie Costa primitiv, dumm und brutal. Anderseits gab es in Resistencia, wollte man den Tatsachen ins Auge sehen, keine Alternative zur jetzigen Regierung. Costa war ein Garant für die Wahrung der Interessen der Vereinigten Staaten in jener Region. Natürlich war die Art und Weise, wie er seine Politik durchsetzte, Washington ein Dorn im Auge. Es war jedoch sinnlos, ihn zu einer Liberalisierung der Verhältnisse in seinem Land aufzufordern und dabei ernsthaft mit dem Entzug der Militärhilfe zu drohen. Eine derartige Drohung konnte ohnehin nie wahrgemacht werden. Die in El Luchador herrschenden Ungerechtigkeiten mussten in Kauf genommen werden. Sie waren der Preis für die Sicherheit der USA, ja des freien Westens überhaupt, der Preis, den man zahlen musste für die Garantie, dass Länder wie El Luchador nicht in den Einflussbereich Kubas und der Sowietunion fielen. Die Sandinistische Revolution in Nicaragua war schon nicht mehr aufzuhalten gewesen. Nun galt es, die weitere Ausbreitung dieser Seuche, die man Sozialismus nannte, mit allen Mitteln zu verhindern. Costa war, wie auch andere Diktatoren, ein nützliches Werkzeug im Kampf gegen die kommunistische Subversion.

Bestimmt gab es auch in den luchadorianischen Streitkräften noch gemässigte Offiziere, mit denen sich reden liess. Wesley bezweifelte jedoch, dass diese Männer zahlenmässig ausreichend stark und trotz ihrer individuellen politischen Ideen einigungsfähig genug waren, um als homogene Gruppe auftreten und den auf einen Putsch folgenden Machtkampf für sich entscheiden zu können. Zum Schluss würde wahrscheinlich doch bloss wieder ein machthungriger Bluthund durch einen anderen ersetzt. Deshalb durfte die Welt nie von *Nueva Vida* erfahren. Was sich da in El Luchador abspielte, war abscheulich, doch die Vereinigten Staaten konnten deshalb nicht ihre ganze Politik in Lateinamerika ändern.

Das war die Situation, wie John Wesley sie sah; Wesley und die Mehrheit jener Männer, die Amerikas Aussenpolitik bestimmten.

Gleich nach seinem Gespräch mit Wesley und Porter sandte Holland einen verschlüsselten Funkspruch nach Resistencia. Fünfundvierzig Minuten später sass David Kelly von der dortigen CIA Aussenstelle dem Direktor der DGI, Coluna, in dessen Büro gegenüber, während sich im Regierungspalast der amerikanische Botschafter in einer Dringlichkeitssitzung mit General Costa besprach. Es war kurz nach vier Uhr früh, dreieinhalb Stunden nach Don Ignacios Vernehmung. Coluna hatte sofort nach dem Verhör die Fahndung nach Irribara eingeleitet, worauf dessen Dienstwagen vor der amerikanischen Botschaft gefunden worden war. Es überraschte ihn deshalb nicht, zu erfahren, dass der Gesuchte sich tatsächlich in der Botschaft aufhielt.

„Irribara hat ausgepackt“, sagte Kelly in völlig sachlichem Ton. Nach zwölf Jahren Dienst in Lateinamerika, wovon vier in El Luchador, war er zu abgebrüht, um sich von einer Geschichte wie dieser noch sonderlich beeindrucken zu lassen. *Nueva Vida* war nur eine der unzähligen Formen von Gier und Korruption, die er beim Umgang mit Politikern, Polizeichefs und Armeeoffizieren einiger der Länder, in denen er stationiert gewesen war, kennengelernt hatte. „Wir schlagen Ihnen vor, die Sache uns zu überlassen und Ihre eigenen Leute aus ihr rauszuhalten.“

Der Chef des luchadorianischen Geheimdienstes antwortete nicht gleich, sondern starrte eine Weile nachdenklich auf die Schreibtischplatte vor ihm. Schliesslich hob er seinen Blick zu Kelly. „Glauben Sie, wir können uns nicht selbst um unserer Deserteure kümmern? Ausserdem kommt Ihr Angebot zu spät. Unsere Leute in Deutschland hatten den Auftrag, Segura gleich nach seiner Landung abzufangen und nach Bonn in unsere Botschaft zu bringen."

„Was sagen Sie da?" Kelly sass wie vom Donner gerührt und starrte Coluna an.

„Wir wollen herausfinden, weshalb er geflohen ist", erwiderte dieser. Kelly tat einen tiefen Atemzug und versuchte, sich zu beherrschen. Dumme Bohnenfresser, schimpfte er in Gedanken, auf einem der bestbewachten Flughäfen der Welt einen Mann entführen zu wollen!

Obwohl innerlich kochend, sprach er mit betont ruhiger Stimme. „Warum haben Sie uns nicht darüber informiert?"

Colunas Gesicht zeigte einen leicht gereizten Ausdruck. „Dazu bestand keine Veranlassung. Aus welchem Grund hätten wir das tun sollen?"

Kelly lehnte sich, seinen Ärger hinunterschluckend, resigniert im Stuhl zurück. „Weil wir den Deutschen einen Wink gegeben haben, damit sie Segura im Auge behalten, solange er sich in Deutschland aufhält. Wir dachten zuerst an einen gewöhnlichen Fall von Landesverrat und glaubten, Segura wolle militärische Geheimnisse an die Russen weitergeben. Natürlich hatten wir unsere eigenen Leute ebenfalls auf ihn angesetzt, doch wir hielten es für besser, sie im Hintergrund zu halten und den deutschen Abwehrdienst vorzuschicken."

Nun war die Reihe an Coluna, wütend zu werden. Sein Gesicht rötete sich zusehends. „Und weshalb, Señor Kelly, erfahre ich das erst jetzt?"

„Wir hatten nicht erwartet, dass Sie sich auf ein derart riskantes Unternehmen wie eine Entführung vom Frankfurter Flughafen einlassen würden." Kelly konnte sich eine gewisse Boshaftigkeit im Ton nicht verkneifen. „Haben Sie schon Nachricht aus Deutschland?"

„Noch nicht, wir erwarten jedoch jeden Augenblick einen Funkspruch von unserer dortigen Botschaft."

Kelly warf einen Blick auf seine Uhr. „In Europa ist es jetzt zehn Uhr. Segura ist um sieben, also vor drei Stunden, gelandet. Wenn die Entführung gelungen wäre, wüssten Sie es längst. Bleibt nur zu hoffen, dass es zwischen Segura, Ihren Leuten und den Deutschen nicht zu einer Katastrophe gekommen ist. Wir meinen, Sie sollten Segura ab sofort uns überlassen."

Noch während er sprach, summte das Telefon. Coluna nahm ab und lauschte einige Augenblicke. Dann sprach er selbst ein paar Worte und leitete den Anruf mittels eines Schaltknopfes auf einen Apparat im Nebenzimmer um.

„Entschuldigen Sie mich einen Augenblick, Señor", sagte er steif zu Kelly und erhob sich. „Ich bin gleich zurück."

Er ging durch eine Seitentür nach nebenan, um das Telefongespräch von dort aus weiterzuführen. Kelly glaubte zu wissen, wer angerufen hatte. Er fand seine Vermutung bestätigt, als nach einer kurzen Weile Coluna zurückkam und sagte: „Ich habe soeben mit seiner Exzellenz, dem Präsidenten, gesprochen. Sie können Segura haben."

IX

Robert Hendersons offizieller Titel lautete: „Sonderberater des Botschafters der Vereinigten Staaten von Amerika". In Wirklichkeit war das von ihm geleitete Büro in Frankfurt die deutsche Aussenstation der CIA.

Henderson war telefonisch mit der Zentrale in Langley verbunden und sprach mit seinem Chef George Porter. An ihren Apparaten waren Zerhacker angeschlossen, welche das Gesprochene, ehe es durch die Leitung ging, so verzerrten, dass unerwünschte Zuhörer nur einen undefinierbaren Geräuschbrei hören konnten. In Langley und in Resistencia war es sechs Uhr früh, in Europa begaben sich die Leute zum Mittagessen. Henderson, der Segura seit dessen Ankunft am Flughafen beobachten liess, gab einen kurzen Lagebericht durch, laut dem der General sein Zimmer im Frankfurter Savoy seit seinem Einzug nicht mehr verlassen hatte.

Porter seinerseits hatte inzwischen von dem Geständnis des alten Pfarrers in Resistencia erfahren. Mit knappen Worten klärte er Henderson über die Hintergründe von Seguras Flucht auf.

„Bei welcher Bank wurde die Kopie des Berichtes hinterlegt?" fragte Henderson.

„Das wissen wir eben nicht. Unser einziger Anhaltspunkt in dieser Sache ist ein Schweizer, Paul Widmer, der die Papiere befördert haben soll. Wir kennen seine Wohnadresse nicht, wissen jedoch, dass sein Bruder in Bern eine Anwaltspraxis betreibt, in die er nach seiner Rückkehr aus El Luchador eintreten wollte. Jedenfalls hat er das dem Pfarrer, den sie in Resistencia befragt haben, kurz vor seinem Abflug erzählt."

„Fotos?"

„Keine. Sie müssen ihn ohne Fotos finden, Bob. Solange wir die Kopie nicht in den Händen haben, kommen wir nicht an Segura heran."

„Was soll mit Segura geschehen?"

„Er weiss zuviel . . . "

Die Weisung war eindeutig. Henderson antwortete nicht sofort.

„Genügt es nicht, wenn wir ihm den Bericht abnehmen und ihn laufenlassen?" fragte er schliesslich. „Er ist sowieso erledigt."

„Bob, er weiss zuviel!" wiederholte Porter, jedes Wort besonders betonend.

„Verstehe. Was machen wir mit dem Mann, der am Flughafen auf ihn gewartet und ihn ins Hotel begleitet hat?"

„Könnt Ihr nicht herausfinden, wer er ist?"

„Das kann eine Weile dauern. Zur Zeit hält er sich noch bei Segura im Hotel auf."

„Könnte es ein Landsmann von ihm sein? Ein Flüchtling?"

„Möglich. Die Deutschen kennen vermutlich seine Identität. Er war ja mit dabei, als sie am Flughafen mit Segura sprachen. Wir können sie jedoch nicht über derartige Details ausfragen, ohne dass ihnen dies auffallen würde. Wir haben sie zwar auf Segura angesetzt, doch ein zu grosses Interesse unsererseits könnte uns später auf gefährliche Weise kompromittieren. Ich werde jedoch die luchadorianische Botschaft kontaktieren; vielleicht wissen die über den Mann Bescheid."

Wieder eine kurze Pause. Porter schien zu überlegen.

„Es ist schliesslich egal, wer er ist", sagte er dann. „Vielleicht weiss er nichts, vielleicht weiss er alles . . . "

„Ein zu grosses Risiko."

„Genau."

„Das macht zwei. Warum lassen wir eigentlich die Luchadorianer ihre Dreckarbeit nicht selber machen?"

„Um Gottes willen, Bob! Diese Dilettanten würden sich selbst und uns doch nur alles versauen! Ausserdem haben wir den viel besseren Apparat in Europa. – Tut mir leid für Sie, Bob. Unangenehme Arbeit."

„Ja." Was gab es dazu schon zu sagen. „Sonst noch was?"

„Nein. Sie haben freie Hand. Ich selbst werde bis zum Abschluss der Aktion rund um die Uhr für Sie erreichbar sein."

„Okay. Ende."

Henderson verliess den Raum, in dem sich das Spezialtelefon für die Verbindung zur heimatlichen Zentrale befand. In seinem Büro setzte er sich an den Schreibtisch, suchte eine Telefonnummer aus einem dünnen Heftchen, das er bei sich trug, und wählte.

Eine Frau nahm ab.

„Hier spricht Lipmann", sagte Henderson auf deutsch. Er beherrschte die Sprache fliessend. „Ich möchte Herrn Vlasov sprechen."

„Einen Augenblick, bitte."

Im Hintergrund waren Musik und Stimmen zu hören, der Lärm einer Kneipe. Nach einer Weile meldete sich eine Männerstimme.

„Ja?"

„Oskar?"

„Ja."

„Hier Lipmann." Henderson sprach weiterhin deutsch. „Ich habe Arbeit für Sie. Ab sofort, für etwa drei Tage. Sie brauchen ungefähr fünfzehn Mann und beginnen heute abend in Bern."

„Fünfzehn in so kurzer Zeit? Das gibt Probleme."

„Es muss sein. Können wir uns in einer Stunde treffen?"

„Wo?"
„Grüneburgpark, Eingang August Siebert- Strasse."
„In Ordnung."

Als Henderson am Treffpunkt eintraf, war Oskar bereits da. Sie drückten sich kurz die Hand und betraten durch den breiten Eingang die Parkanlage. Die weiten, von Fussgängerwegen durchzogenen Grünflächen mit den vereinzelten Bäumen wirkten öde und verlassen. Es war nicht mehr Winter und noch nicht Frühling. Ein kühler Wind blies den wenigen Mittagsspaziergängern ins Gesicht. Zwei Jogger in Trainingsanzügen drehten schwitzend ihre Runden. Der Verkehrslärm der Stadt war hier nur noch als gedämpftes Summen zu hören.

Während ihres Spazierganges weihte Henderson seinen Begleiter in dessen Aufgabe ein, ohne jedoch näher auf den Inhalt von Seguras Bericht einzugehen. Er erklärte, wer Segura war, und fuhr fort: „Er befindet sich zur Zeit hier in Frankfurt und will übermorgen nach Basel weiterreisen, wo Amnesty International einen Kongress abhält. Dort beabsichtigt er, einen Bericht zu veröffentlichen, der auf keinen Fall publik gemacht werden darf."

Oskar nickte. Die Zusammenhänge zwischen Amnesty International und Seguras Bericht, und auch dessen Inhalt interessierten ihn nicht. Er kannte seine Rolle und wusste, dass man ihm nie mehr anvertraute, als er für seine Arbeit zu wissen brauchte. Er war bloss das ausführende Organ, dem die Hintergründe einer Affäre, in welcher er für viel Geld an vorderster Front die Handarbeit erledigte, meist verschlossen blieben. Er wusste nicht einmal mit Sicherheit, wer sein Auftraggeber war.

Sie waren in jeder Beziehung ein ungleiches Paar. Der eine, einsachtzig gross, mit mittellangem, dunklem Haar, das sich über der Stirn lichtete, trug Anzug und Regenmantel. Um sich fit zu halten, ging er ein- bis zweimal in der Woche joggen. Er verteilte ungewöhnliche Aufträge, weil er es für die Sicherheit und das Ansehen seines Landes als notwendig erachtete. Der andere, mit seinen einsfünfundsiebzig nicht ganz so hochgewachsen, trug Lederlumber und Jeans, wobei er von seinem Äusseren her ebensogut in einen eleganten Anzug gepasst hätte. Sein hellblondes Haar war kurz geschnitten, und sein leichtfüssiger Gang verriet den durchtrainierten Sportler. Karate, Schiessen und Tennis waren seine bevorzugten Sportarten. Er führte die Aufträge aus, weil er damit viel Geld verdiente.

Oskar hörte den Anweisungen des Amerikaners aufmerksam zu. Zum Schluss sagte dieser: „Sie brauchen zwei bis drei erstklassige Fahrer, die mit den schweizerischen Verkehrsverhältnissen gut vertraut sind. Ausserdem haben wir ein Sprachproblem. Die Papiere können sich in der Deutschschweiz oder im italienisch-, beziehungsweise französischsprachigen Teil des Landes befinden. Ihre Leute müssen sich in allen drei Regionen ohne Sprachschwierigkeiten bewegen können."

„Ich habe sofort nach Ihrem Anruf herumtelefoniert und ein paar ausgezeichnete Leute in Mailand und Paris kontaktiert. Fünfzehn sind jedoch zuviel. Ich kann die Sache mit zehn bis zwölf Mann durchziehen. Unter denen, die ich aufgeboten habe, befinden sich auch einige hervorragende Fahrer, die schon ein paarmal in der Schweiz gearbeitet haben. Drei telefonische Zusagen habe ich bereits, und bis heute Abend dürfte ich das Team beisammenhaben."

„Heute abend?" Henderson blieb stehen und schaute den anderen an. „Um die Zeit sollten Sie bereits in Bern sein. Sie müssen noch heute mit Widmer sprechen!" Beide wussten, was mit „sprechen" gemeint war.

„Machen Sie sich keine Sorgen, morgen früh werden wir wissen, wo die Papiere sind."

Sie setzten sich wieder in Bewegung. Als sie an einer Bank vorbeikamen, auf der trotz der unfreundlichen Witterung händchenhaltend ein junges Pärchen sass, unterbrachen sie ihre Unterhaltung für einen Augenblick.

„Ich weiss, das Sie schnell und sauber arbeiten, Oskar", sagte der Amerikaner dann, „doch wir sind noch nie so unter Zeitdruck gestanden; nicht einmal in der Raskolnikow-Sache in Berlin letztes Jahr. Ich habe veranlasst, dass an verschiedenen, strategisch günstigen Orten in der Schweiz kurzfristig Lokalitäten gemietet werden, die Sie bei Bedarf als Operationsbasis benutzen können. Die Adressen und Schlüssel sowie Stadtpläne von Bern und Basel werden heute abend in Ihrem Hotel in Bern für Sie bereitliegen."

Er zog einen Umschlag aus der Manteltasche und reichte ihn Oskar. Dieser entnahm ihm ein Blatt Papier und vier Fotographien, alles Nahaufnahmen von Personen. Auf dem Notizblatt stand die Adresse eines Berner Hotels und eine Telefonnummer.

„Meine Kontaktnummer hier in Frankfurt", sagte Henderson. „Sie ist wie immer an ein Aufnahmegerät angeschlossen. Das Hotel befindet sich unmittelbar beim Berner Hauptbahnhof. Sie können es nicht verfehlen. Unter welchem Namen reisen Sie?"

„Günter Wegner." Oskar besass mehrere erstklassig gefälschte Pässe mit dazupassenden Führerscheinen. Die Zulassungspapiere für die Wagen, die er sich für solche Einsätze jeweils aussuchte, konnten innert Stundenfrist hergestellt werden.

„Gut. Ein Zimmer wird auf diesen Namen reserviert sein."

Die Zimmerreservation war ein Vorwand, um das Hotel als Postablage benutzen zu können. Oskar betrachtete die Fotos.

„Sie wurden heute vormittag am Flughafen gemacht“, erklärte Henderson. „Der mit dem Aktenkoffer ist Segura. Der andere ist ein Mann, dessen Identität wir noch nicht kennen. Es könnte sein, dass er Segura nach Basel begleitet. Behandeln Sie beide gleich.“

„Und wenn er nicht mitreist?“

„Dann werden sich andere Leute hier um ihn kümmern. Ich selbst werde mich stets in Seguras Nähe aufhalten, auch in Basel. Ob ich mit Ihnen in direkten Kontakt trete, hängt von den Umständen ab. Vergessen Sie nicht, zu jeder vollen Stunde, Tag und Nacht, meine Telefonnummer anzurufen. So erfahren Sie alles über Seguras Bewegungen. Wenn Sie nicht selbst anrufen können, beauftragen Sie einen Ihrer deutschsprechenden Männer damit. Die Adresse Widmers werde ich Ihnen durchgeben, sobald sie mir von meinen Verbindungsleuten in der Schweiz übermittelt worden ist. Und nun lassen Sie uns rekapitulieren. Was tun Sie mit den Papieren von der Bank?“

Oskar wiederholte die Anweisungen: „Sobald ich in ihrem Besitz bin, liefere ich sie der Kontaktperson, die Sie mir bis dahin mitgeteilt haben werden. Dann hole ich bei Segura die Originale und bringe sie ihr ebenfalls.“

Henderson nickte befriedigt, doch dann fragte Oskar: „Was soll geschehen, wenn wir an die Kopien nicht herankommen?“

„Stoppen Sie Segura trotzdem und nehmen Sie ihm die Originale ab. Er darf den Kongressaal auf keinen Fall erreichen!“ Henderson blieb von neuem stehen und schaute den Deutschen durchdringend an. „Es darf kein ‚wenn' geben, Oskar! Wir brauchen beide Exemplare, Original und Kopie! Sie haben Carte Blanche. Tun Sie alles Notwendige. Nehmen Sie auf nichts und niemanden Rücksicht!“

Die letzte Bemerkung schien Oskar überflüssig. Wenn keine harten Massnahmen nötig gewesen wären, hätte man ihn erst gar nicht gerufen. Er schaute auf seine Armbanduhr.

„Es ist Zeit“, sagte er. „Ich habe noch einige Vorbereitungen zu treffen, ehe ich wegfahre.“

Sie verabschiedeten sich, und Oskar ging den Weg zurück, den sie gekommen waren. Henderson verliess den Park durch einen anderen Ausgang. Nach einem fünfminütigen Fussmarsch erreichte er eine Strassenbahnhaltestelle. Während er wartete, dachte er an den Mann, von dem er sich soeben getrennt hatte und den er jeweils anrief, wenn er eine schnelle Eingreiftruppe brauchte, die nicht mit seiner eigenen Organisation in Verbindung gebracht werden durfte.

Oskar Vlasov war zuverlässig. Ein Mann mit stählernen Nerven, der nie Spuren hinterliess und alles tat, was ihm für die erfolgreiche Durchführung eines Auftrags unerlässlich schien. Das hiess, dass er auch vor der letzten Konsequenz nicht zurückschreckte. Er wusste nicht, wer Lipmann war. Henderson sprach zwar Deutsch mit einem leichten Akzent, weswegen Oskar ihn für einen Engländer oder Amerikaner halten mochte. Vielleicht ahnte er gar, für wen er jeweils arbeitete, wenn er von dem Mann, den er als Lipmann kannte, einen Auftrag annahm. Gewissheit darüber würde er allerdings nie erhalten. In den Schattenzonen der internationalen Politik, in der dunkeln Welt der Spionage und der verdeckten Aktionen, wo Intrige, Verrat und Mord für viele Menschen Beruf war, kannte man selten die wahre Identität seiner Auftraggeber.

Oskar kannte weder Lipmanns Arbeitsort noch seine Wohnadresse. Bei Auftragserteilung erhielt er lediglich eine Telefonnummer, unter der ein automatischer Anrufbeantworter seine Mitteilungen entgegennahm oder Anweisungen für ihn bereithielt. Ein Sender, der im Apparat eingebaut war, löste bei jedem Anruf in einem winzigen

Empfänger in Hendersons Armbanduhr ein akustisches Signal aus. Henderson konnte dann die Nachricht mittels einer Codenummer abrufen. Dieser Mechanismus erlaubte es ihm, ohne Zeitverlust mit dem Anrufer direkt in Verbindung zu treten oder seinerseits eine Mitteilung auf das Band des Telefonbeantworters zu sprechen, welche vom anderen später abgehört werden konnte. Wenn er sich im Laufe einer Operation ausserhalb der Reichweite des Senders aufhielt, rief er selbst in regelmässigen Abständen an, um in der Zwischenzeit eingetroffene Meldungen abzuhören oder Anweisungen zu hinterlassen.

Dieses System fand Anwendung, sobald für eine Aktion Leute von „auswärts" zugezogen werden mussten. Nach Abschluss der Operation wechselten Nummer und Adresse des Anschlusses sofort. Gegenwärtiger Standort des Kontaktanschlusses war eine unmöblierte Mansarde in einem Haus an der Peripherie Frankfurts. Telefonapparat und Beantworter standen auf dem Linoleumboden in einer Ecke des Raumes. Die Nummer war in keinem Verzeichnis aufgeführt und eine Anfrage beim Telefonamt würde nur zu einem nichtssagenden Pseudonym führen. Oskar kannte als einziger die jetzige Nummer. Er wäre ein Narr gewesen, wenn er versucht hätte, das Geheimnis zu lüften. Zuviel Neugier am falschen Ort war schädlich für das Geschäft – und für die Gesundheit. Henderson hatte diesen Punkt gleich zu Anfang ihrer Geschäftsbeziehung klargestellt. Oskar durfte nie erfahren, wer seine Auftraggeber wirklich waren. Er würde in dem Augenblick, in welchem er hinter Lipmanns Geheimnis kam, ein toter Mann sein. So direkt hatte Lipmann/Henderson sich zwar nicht ausgedrückt, doch er war sicher, dass Oskar ihn sehr gut verstanden hatte. Gewisse Dinge brauchte man nicht auszusprechen; es genügte, sie unmissverständlich anzudeuten. Es war auch von Anfang an klar gewesen, dass Oskar und seine Männer auf eigenes Risiko arbeiteten. Sollten sie bei einer Aktion einmal in Schwierigkeiten geraten, würde Lipmann keinen Finger für sie rühren. Nie durfte auch nur der Hauch eines Verdachtes aufkommen, dass zwischen Hendersons Organisation und Leuten wie Oskar eine Verbindung bestand.

Als Henderson in die Strassenbahn einstieg, war es knapp über halb zwei.

Ungefähr zur gleichen Zeit erhielt die Praxis des Rechtsanwalts Doktor Klaus Widmer in Bern den Anruf eines Herrn, der Englisch mit amerikanischem Akzent sprach und seinen Namen mit Robert Belamy angab. Er erkundigte sich nach Paul Widmer und wurde von der Sekretärin mit Doktor Widmer verbunden. Der Anwalt sprach Englisch so gut wie Französisch und Deutsch.

„Paul ist mein Bruder“, sagte er. „Er ist jedoch nicht hier. Vielleicht kann ich Ihnen helfen, Mister Belamy?“

Belamy gab sich als amerikanischer Geschäftsmann aus, der Paul in Resistencia kennengelernt hatte. „Vor einigen Wochen sagte er mir, dass er in absehbarer Zeit nach Bern zurückkehren und Ihrer Firma beitreten wolle. Ich wusste damals noch nicht, dass meine Geschäfte mich so bald in die Schweiz bringen würden. Doch nun bin ich für ein paar Tage hier in Bern und dachte mir, es wäre nett, Paul bei dieser Gelegenheit wiederzusehen. Leider habe ich seine Adresse nicht. ich wäre Ihnen sehr dankbar, Mister Widmer, wenn Sie mir weiterhelfen könnten.“

„Sie haben gut daran getan, anzurufen“, antwortete Doktor Klaus Widmer. „Paul wird sich über den Besuch eines alten Bekannten aus seiner Zeit in Resistencia sicher freuen.“

„Ach, wissen Sie“, schwächte der andere ab, „wir haben uns eigentlich nur zwei-, dreimal gesehen. Vielleicht erinnert er sich gar nicht mehr an mich. Doch er ist wirklich ein netter Kerl und, wie gesagt, ich würde ihm gern mal wieder guten Tag sagen."

„Natürlich. Paul wird allerdings erst zu arbeiten beginnen, wenn er eine passende Wohnung für sich gefunden hat. Vorläufig wohnt er bei unseren Eltern, ebenfalls hier in Bern." Der Anwalt nannte eine Telefonnummer. „Soll ich Ihnen die Adresse auch gleich angeben?"

„Das wäre wirklich sehr freundlich von Ihnen."

Als Henderson um zwei Uhr in seinem Büro eintraf, lag eine Mitteilung aus Bern für ihn vor: Adresse und Telefonnummer von Paul Widmer und der Vermerk „Wohnt bei seinen Eltern."

Um vier Uhr rief Porter aus der Zentrale an und gab neue Anweisungen durch, worauf Henderson sich zum Savoy begab. Wenn die Rechnung aufging, die sie sich in Langley offenbar machten, konnte die Angelegenheit doch noch ohne Oskar erledigt werden.

Beim Hotel angekommen, trat er zu einem Mann, der von der nahen Strassenecke aus den Hoteleingang beobachtete.

„Ist er oben?" fragte er.

Der andere nickte. „Sein Begleiter hat für ihn eingekauft. Eine Reisetasche, Wäsche, Rasierzeug und ähnliches."

„Ist er noch bei ihm?"

„Nein. Er brachte ihm die Sachen auf das Zimmer und ging wieder weg. Carson ist ihm gefolgt."

„Wo ist Snyder?"

„In der Hotelhalle."

„Gut. Ich gehe jetzt zu Segura hinauf."

„Snyder glaubt, mindestens einen deutschen Observierer erkannt zu haben."

„Ich bin überzeugt davon, dass die Deutschen noch mitspielen. Schliesslich haben wir selbst sie dazu eingeladen. Leider."

Er liess den Mann stehen und überquerte die Strasse in Richtung Hoteleingang. In der weitläufigen Empfangshalle sassen einige Leute herum, doch Henderson ging, ohne sich umzublicken, geradewegs zur Rezeption.

„Ich möchte Herrn Segura anrufen", sagte er zum Empfangsangestellten. „Er hat ein Zimmer hier."

„Einen Augenblick bitte, mein Herr." Der Angestellte schaute nach. „Herr Segura, Zimmer 406. Bitte gehen Sie zum Telefon dort drüben. Ich werde Sie verbinden."

„Danke."

Henderson ging zu einer Nische, wo sich ein Haustelefon befand, und hob den Hörer ab. Er hörte, wie durchgestellt wurde, dann meldete sich eine Stimme: „Hallo."

„Segura?" fragte Henderson.

„Wer spricht?" kam die Antwort auf englisch.

„Mein Name ist Henderson." Er sprach leise, da es eine offene Telefonnische war. „Ich bin im Auftrag der Regierung der Vereinigten Staaten hier, um mit Ihnen zu sprechen. Wir wissen über *Nueva Vida* Bescheid."

Er wartete.

„Woher?" fragte Segura nach einigen Sekunden.

„Von Irribara. Er ist letzte Nacht in Resistencia in unsere Botschaft geflüchtet und hat gebeichtet."

Wieder eine kurze Pause. Dann: „Weshalb wollen Sie mich sprechen?"

„Wir möchten Ihnen einen Vorschlag machen."

„Einen Vorschlag?"

„Hören sie, General, ich kann hier nicht sprechen. Ich befinde mich in der Empfangshalle Ihres Hotels und werde jetzt zu Ihnen hinaufkommen."

„Wozu? Sie können mir Ihren Vorschlag auch am Telefon unterbreiten."

„Nicht von hier aus. Ich komme jetzt zu Ihnen auf das Zimmer. Hören Sie sich an, was ich Ihnen zu sagen haben. Sie haben ja nichts zu verlieren."

Er wollte auflegen, da kam noch einmal die Stimme Seguras: „Ich warne Sie, Mister Henderson, oder wie Sie sonst heissen mögen: Keine Tricks! Ich habe mich abgesichert."

„Wie meinen Sie das?" Henderson tat überrascht. Segura ahnte sicher nichts von der Verhaftung des alten Pfarrers, seines Verbündeten zu Hause. Wenn er nun erfuhr, dass Henderson bereits von der Kopie in der Schweiz wusste, würde er die Zusammenhänge erraten und möglicherweise durch eine unberechenbare Handlung alles verderben.

„Auf einer Bank in der Schweiz liegt die Kopie eines detaillierten Reports über *Nueva Vida*", fuhr Segura fort. „Die Bank ist beauftragt, die Papiere zur Veröffentlichung weiterzuleiten, falls ich sie nicht bis zu einem gewissen Datum wieder abgeholt haben sollte."

Henderson liess einige Sekunden verstreichen, um beim anderen den Eindruck zu erwecken, er müsse die vermeindliche Neuigkeit zuerst verdauen.

„Verstanden", sagte er dann. „Ich will ja auch weiter nichts als mit Ihnen sprechen."

Er legte auf und fuhr mit dem Aufzug in die vierte Etage. Während er bei der Nummer 406 anklopfte, blickte er sich um und bemerkte, dass die Tür des Zimmers schräg gegenüber nur angelehnt war. Er vermutete, dass sich dahinter mindestens ein deutscher Sicherheitsbeamter verbarg.

Vor weniger als einer Stunde war Henderson noch darauf bedacht gewesen, sich und seine Leute im Hintergrund zu halten. Die neuen Befehle aus Langley jedoch zwangen ihn, mit Segura persönlich in Kontakt zu treten. Dabei liess sich nicht mehr vermeiden, dass sein besonderes Interesse an der Sache allfälligen Beobachtern auffiel.

Die Tür zu Seguras Zimmer öffnete sich einen Spaltbreit, und Henderson sah das Gesicht des Generals, der ihn sekundenlang musterte. Dann trat Segura zurück, ohne jedoch die Tür weiter zu öffnen. Henderson stiess sie langsam ganz auf, trat ein und drückte sie hinter sich ins Schloss. Segura hatte sich zum Fenster auf der anderen Seite des Raumes zurückgezogen. Sein Aktenkoffer stand auf dem Fensterbrett und er hielt ihn mit der rechten Hand fest. Die feine Kette verband wieder sein Handgelenk mit dem Koffergriff.

Einen Augenblick lang standen sie sich schweigend gegenüber und schauten sich über das Bett hinweg an. Seguras aufrechte Haltung drückte Entschlossenheit aus, und der Amerikaner ahnte bereits, dass er vergebens gekommen war.

„Ihr Vorschlag!" sagte Segura.

„Sie wollen den *Nueva Vida*-Bericht am Kongress von Amnesty International in Basel veröffentlichen, habe ich recht?"

„Sprechen Sie über Ihren Vorschlag!"

„Niemand erfährt von der Sache, dafür helfen wir Ihnen, Costa zu entmachten. Sie nehmen seinen Platz ein, und wir unterstützen Sie weiter, damit Sie Ihre Position festigen und Reformen durchführen können."

Segura hatte so etwas erwartet. Sie wollten ihn kaufen.

„Ich will den Präsidentensessel nicht", sagte er ruhig.

„Was wollen Sie denn?"

„Wahlen."

„Was soll das heissen? Sie wissen doch genau, dass wir Wahlen in El Luchador begrüssen würden! Wir haben Costa oft genug darauf angesprochen."

„Sie missverstehen mich. Ich meine *freie* Wahlen."

Die Art, wie Segura die letzten Worte betonte, liess Henderson aufhorchen. „Etwa mit Beteiligung der Kommunisten?"

„Ich meine Wahlen, an denen sich jeder beteiligen kann, der Lust dazu hat. Auch die Kommunisten."

Henderson schüttelte langsam den Kopf. „Sie wissen, dass das nicht geht. Wir dürfen das Risiko, dass ein kommunistischer Kandidat gewählt wird, nicht eingehen. Lateinamerika darf nicht zur sowjetischen Einflusszone werden."

„Eine Beteiligung der Kommunisten bedeutet noch lange nicht, dass diese auch gewinnen. Die Wahlen müssen einfach allen interessierten Parteien zugänglich sein."

„Hören Sie, General, was in El Luchador geschehen ist, haben wir nicht gewollt. Wir können Ihnen helfen, aufzuräumen. Wir *wollen* Ihnen helfen! Aber verlangen Sie nicht das Unmögliche! Wir können nicht dulden, dass sich der Kommunismus in Südamerika noch weiter ausbreitet. Cuba und Nicaragua genügen uns." Hendersons Stimme wurde noch eindringlicher. „Sie haben das doch bis vor kurzem auch eingesehen . . . !"

Segura nickte kaum merklich. „Ja, bis vor kurzem. Ich bin nach wie vor so wenig ein Freund des Kommunismus wie Sie, nur fürchte ich mich heute weniger vor ihm. Wir haben in El Luchador die Gärten zubetoniert aus Angst vor Maulwürfen. Wir müssen den Beton wieder aufreissen, was nur durch freie Wahlen geschehen kann, selbst auf die Gefahr hin, dass sich dann in unseren Gärten Maulwürfe tummeln werden. Keinem soll die Teilnahme an den Wahlen verwehrt werden, und der Sieger, wer immer dies auch sein mag, soll akzeptiert werden, weil sich die Mehrheit des Volkes für ihn entschieden hat."

„Die Mehrheit eines Volkes", entgegnete Henderson heftig, „das zu einem Drittel aus Analphabeten besteht und von Demokratie keine Ahnung hat!“

„Glaubt ihr euch etwa dazu berechtigt, uns auf ewig vorzuschreiben, wie wir leben sollen? – Wir werden lernen . . . “ Segura sprach ruhig, ohne sich von der naiven Arroganz in Hendersons Ton provozieren zu lassen. Ja, sie alle würden lernen müssen, dachte er; die Massen jener, welche noch nie einen Wahlzettel zu Gesicht bekommen hatten, mit Begriffen wie Abgeordneter, Parlament und Staat nichts anzufangen wussten und nun plötzlich ihre politischen Führer selber ernennen sollten, wie auch die Klasse jener, welche es gewohnt waren, Recht und Gesetz dem eigenen Gutdünken und Geschmack anzupassen. Das Leben in El Luchador würde sich für alle ändern.

Segura verspürte weder Ärger noch Wut, auch keine Enttäuschung. Er hatte nicht erwartet, dass dieses Gespräch zu etwas Sinnvollem führen würde. Sie hatten bloss versucht, ihn zu ködern, vielleicht auch nur, um ihn später auszutricksen. Er hatte vor einer Stunde mit Lambert in Basel telefoniert und sich von diesem bestätigen lassen, dass die Papiere angekommen waren und sicher in einem Bankfach lagen. Er fragte sich, was seine Gegner als nächstes versuchen würden. Viel Zeit blieb ihnen nicht mehr.

Henderson seinerseits sah seine Befürchtung bestätigt: Er hätte sich den Besuch sparen können. Nun lag alles bei Oskar.

Er deutete mit den Augen auf den Aktenkoffer. „Glauben Sie, damit werden Sie Ihr Ziel erreichen?“

Segura reagierte nicht auf die zweideutige Frage; es gab nichts mehr zu sagen. Henderson steckte die Hände in die Taschen seines Mantels und starrte einen Augenblick lang unschlüssig vor sich hin. Schliessliche drehte er sich um und ging hinaus, ohne Segura noch einmal anzusehen. Er zog leise die Tür hinter sich ins Schloss. So pietätvoll leise, wie man die Tür eines Raumes schliesst, in dem ein Toter liegt.

Segura schaute noch einige Sekunden lang nachdenklich auf den Fleck, wo der Amerikaner gestanden hatte. Dann ging er zur Tür und verriegelte sie.

X

Oskar Vlasov trat das Gaspedal durch, als er die Autobahn ausserhalb Frankfurt erreichte. In zwei weiteren Wagen folgten ihm drei Männer, welche zu seiner internationalen Truppe gehörten. Ungefähr zur gleichen Zeit verliessen vier Männer in zwei Autos Paris in Richtung Schweiz, und ein Wagen mit drei Insassen näherte sich, von Mailand kommend, dem italienisch-schweizerischen Grenzstädtchen Chiasso. Sämtliche Autos stammten aus Werkstätten, welche sich auf das Präparieren von gestohlenen Fahrzeugen spezialisiert hatten und diese auf Abruf, das hiess innert Stundenfrist, mit „echten" Papieren und Nummernschildern liefern konnten.

Die Deutschen und die Italiener erreichten ihr gemeinsames Ziel beinah gleichzeitig, die Franzosen etwas später. Um neun Uhr abends jedoch fanden sie sich alle in Bern am Treffpunkt ein, den Oskar ihnen angegeben hatte, und den man auch in einer fremden Stadt leicht findet: am Hauptbahnhof. Einige der Männer kannten sich von früheren Einsätzen her, andere waren neu in dieser Gruppe. Sie alle hatten jedoch schon mit Oskar gearbeitet und bewunderten seinen Mut, seine Reaktionsfähigkeit und sein Organisationstalent. Oskar seinerseits hatte die um ihn versammelten Männer für diese Sache ausgesucht, weil er die Zuverlässigkeit, die eiserne Disziplin und die Kaltblütigkeit jedes einzelnen aus Erfahrung kannte. Keiner war älter als fünfunddreissig. Sie waren entschlossen, schnell und gründlich, ohne Skrupel, mit eigenen Moralgesetzen. Sie akzeptierten Oskar als Führer und würden alles tun, was er ihnen befahl. Sie kannten weniger noch als er den Endzweck ihrer Arbeit. Sie erhielten Befehle und Geld von ihm, ohne Fragen zu stellen. Nach Beendigung einer Operation trennten sie sich, und manchmal sahen sich der eine und andere bei einem späteren Einsatz wieder.

Das Hotel, in welchem für Oskar ein Zimmer reserviert und bezahlt worden war, befand sich unmittelbar gegenüber dem modernen Bahnhofsgebäude. Oskar hatte es sofort nach seiner Ankunft aufgesucht, sich als Günter Wegner eingetragen, vom Portier einen Umschlag entgegengenommen, der für ihn hinterlegt worden war, und sich zu seinen Männern begeben. Der Umschlag enthielt drei Fotos, jede in elffacher Ausführung, je sechs Strassenkarten von Bern und Basel und ein zusammengefaltetes Blatt Papier mit der Adresse und mit genauen Angaben über Etage und Nummer der Wohnung, welche ihnen in Bern für das Verhör Widmers zur Verfügung stand. Zwei Schlüssel waren mit Scotchband auf das Papier geklebt. Die Fotos zeigten einen ungefähr fünfunddreissigjährigen Mann von drei Seiten beim Verlassen eines Hauses. Auf der Rückseite jedes Abzugs stand in Handschrift der Name Paul Widmer geschrieben. Oskar war erleichtert. Die Aufnahmen, welche im Laufe des Nachmittags gemacht worden sein mussten, würden ihm und seinen Leuten die Arbeit entschieden erleichtern.

Er verteilte die Stadtpläne auf die fünf Wagen. Die Fahrer waren ausgesuchte Spezialisten, welche über einen ungewöhnlich stark ausgeprägten Orientierungssinn verfügten. Sie hatten eine Stunde Zeit, sich mit dem Netz der Berner Hauptverkehrsstrassen vertraut zu machen. Die Präzisionsarbeit blieb dem Fahrer überlassen, der für die eigentliche Operation vorgesehen war. Mit ihm zusammen legte Oskar die Idealroute zwischen Widmers Wohnort und dem Appartement fest, das ihnen als Basis diente. Sie fuhren die Strecke mehrmals ab, erkundeten Neben- und Einbahnstrassen und prägten sich Sackgassen und allfällige Umwege ein. Oskar fand die Vorbereitungsphase viel zu kurz, doch das liess sich jetzt nicht mehr ändern. Dafür hatte Lipmann alles bestens organisiert: Das Hotel, die Wohnung, die Fotos und die Strassenkarten. Er musste in der Schweiz über zuverlässige Leute verfügen, auch wenn diese nur die Vorbereitungen treffen durften und die Hauptarbeit von auswärtigen Akteuren ausgeführt werden musste, welche – Oskar verstand das durchaus – bei einem allfälligen Misslingen des Unternehmens niemand kompromitieren konnten.

Bei einem seiner Anrufe nach Frankfurt hatte er erfahren, dass Widmer, der offenbar seit dem frühen Nachmittag von Lipmanns Leuten beschattet wurde, mit Freunden zusammen zum Abendessen ausgegangen war. Er hatte sich die Adresse des Restaurants notiert und vier Männer mit zwei Wagen und Handfunkgeräten hinbeordert. Als er von ihnen die Bestätigung erhielt, dass sie Widmer gefunden hätten und unter Beobachtung hielten, teilte er Lipmann über die Kontaktnummer mit, er habe übernommen. Lipmann würde nun seine Leute, welche vermutlich noch im oder um das Restaurant postiert waren, abziehen, da ihre Aufgabe erfüllt war. Oskars Operationsplan stand fest. Nun begann das Warten.

Eine halbe Stunde vor Mitternacht entstieg Widmer der Strassenbahn, die in der Nähe seines Wohnortes im Berner Aussenquartier Wabern vorbeifuhr, und überquerte die Strasse. Das letzte Stück Nachhauseweg musste er zu Fuss zurücklegen. Der Verkehrsstrom, der sich am frühen Abend noch durch die Hauptstrasse gewälzt hatte, war beinah versiegt. Nur noch wenige Autos fuhren vorbei. Die Nacht war kühl, und Widmer beschleunigte seine Schritte. Mit ihm war noch ein Mann ausgestiegen, der jedoch, von Widmer unbeachtet, eine kurze Strecke in die Fahrtrichtung weiterging und dann in ein Auto mit deutschem Kennzeichen stieg, das der Strassenbahn hinterhergefahren war.

Nach ungefähr hundertfünfzig Metern bog Widmer nach rechts in die schmale, leicht abfallende Seitenstrasse ein, in welcher die Wohnung seiner Eltern lag. Er beachtete die zwei Männer nicht, die zigarettenrauchend an der Ecke standen und sich leise unterhielten, wie zwei Freunde, die noch ein paar Worte wechselten, ehe sie sich trennten und nach Hause gingen. Im Vorübergehen drangen französische Wortfetzen an sein Ohr, doch er sah weder das Foto, das jeder in der Hand hielt, noch bemerkte er, wie der eine von ihnen einem nicht weit entfernt in der Hauptstrasse parkierten dunklen Citroën ein Zeichen gab. Der Wagen schaltete die Abblendlichter ein und fuhr langsam an.

Widmer war noch ungefähr hundert Meter von der elterlichen Wohnung entfernt, als aus einem der unbeleuchteten Hauseingänge vor ihm eine Gestalt trat und sich ihm in den Weg stellte.

„Widmer."

Der Angesprochene blieb überrascht stehen, doch noch ehe er antworten konnte, sah er sich links und rechts von den zwei Typen bedrängt, an denen er vorhin vorbeigegangen war. Plötzlich starrte er in die dunkle Mündung einer Pistole und fühlte, wie seine Knie weich wurden.

„Wenn Sie schreien oder davonzulaufen versuchen, erschiessen wir Sie", sagte Oskar, der Mann vor ihm, auf hochdeutsch. Er sprach schnell und leise. „Steigen Sie ein!"

Er machte mit der Hand, welche die Schusswaffe hielt, eine knappe Geste zum Citroën, der in der Zwischenzeit herangefahren war und mit leise laufendem Motor neben ihnen wartete. Der hintere Wagenschlag war offen. Widmer war vor Schreck wie gelähmt und wehrte sich überhaupt nicht gegen den eisernen Griff der Franzosen, welche ihn hastig zum Wagen zerrten. Sekunden später sass er, zwischen seinen Entführern eingekeilt, im Fonds und spürte den Druck zweier Pistolen gegen seine Rippen. Der Deutsche war neben dem Fahrer eingestiegen, und sie fuhren los. Der Überfall hatte genau sechzehn Sekunden gedauert.

Widmer sass, vom Schock völlig benommen, steif zwischen seinen Bewachern und schaute verwirrt von einem zum andern. Sein Herz klopfte rasend, und er war nur eines einzigen Gedankens fähig: Wer waren diese Leute und was wollten sie? Eine dunkle Vorahnung beschlich ihn.

Plötzlich begann Oskar zu sprechen. Er drehte sich dabei nicht um, sondern beobachtete weiter die Strasse vor ihm.

„Vor zwei Tagen brachten Sie einige Papiere aus Resistencia in die Schweiz. Segura hatte sie Ihnen mitgegeben. Wir wollen wissen, an wen Sie sie abgeliefert haben."

Obwohl die Namen Resistencia und Segura bloss eine unbestimmte Befürchtung bestätigten, welche Widmer in den letzten Minuten befallen hatte, trafen sie ihn wie ein Schlag. Die Sache war also geplatzt, Seguras Plan gescheitert. Sein Magen verkrampfte sich, und er verbarg seine zitternden Hände zwischen den Knien, während er mit zusammengepressten Lippen auf den Hinterkopf des Sprechers starrte.

„Wo haben Sie sie hingebracht?" hörte er den Deutschen wieder fragen.

„Ich weiss nicht, wovon Sie reden", stiess er heiser hervor.

„Na gut", sagte der andere. „Denken Sie an Ihre Eltern."

„Wieso?" entfuhr es Widmer. „Was haben meine Eltern damit zu tun?"

Oskar antwortete nicht. Der Fahrer steuerte den Wagen auf der vorgesehenen Route sicher durch das nächtliche Bern, immer darauf bedacht, die erlaubte Höchstgeschwindigkeit nicht zu überschreiten. Bei der Monbijoubrücke überquerten sie die Aare und fuhren noch einige Blocks geradeaus, ehe sie links abbogen. Kurz darauf hielten sie vor der Einfahrt zur unterirdischen Einstellhalle eines Appartementhauses; einer jener seelenlosen Betonklötze, deren möblierte Wohnungen auch kurzfristig gemietet werden konnten. Der Fahrer betätigte von seinem Sitz aus das Schloss, das auf Wagenfensterhöhe in eine Säule eingelassen war. Das Tor öffnete sich, und sie fuhren hinunter.

Kein Mensch befand sich in der niedrigen, weitläufigen Betonhalle. Ungefähr zwei Drittel der Parkplätze waren besetzt. Als der Citroën in der für ihn reservierten Lücke stand, stiegen sie aus. Erst jetzt bemerkte Widmer, dass die Pistolen, mit denen die beiden Franzosen ihn noch immer in Schach hielten, mit dicken Metallzylindern versehen waren. Schalldämpfer, fuhr es ihm durch den Kopf.

Sie nahmen ihn in die Mitte und stiessen ihn hastig zum Aufzug. Während sie zum sechsten Stock hinauffuhren, hielten die Franzosen die Hand mit der Schusswaffe in der Jackentasche versteckt für den Fall, dass unterwegs noch jemand zusteigen sollte. Doch Widmer wartete vergebens auf Hilfe, und selbst wenn jemand den Aufzug betreten hätte: Zu gross war seine Furcht vor diesen Männern mit ihren ausdruckslosen Gesichtern und den kalten Augen, als dass er sich zu rühren gewagt hätte. Mit einer Schusswaffe konnte man zwar Leute bluffen, ohne auch nur einen Schuss abzufeuern. Dass seine Entführer ihre Pistolen mit Schalldämpfern versehen hatten, konnte jedoch nur bedeuten, dass sie entschlossen waren, zu schiessen und zu töten. Eine Erkenntnis, die Widmer zum willenlosen Gefangenen machte.

In der Wohnung angekommen, wurde er gleich in einen als Esszimmer möblierten Raum geführt. Er musste sich auf einen Stuhl setzen, und seine Handgelenke wurden mit Handschellen an die Rückenlehne gefesselt. Auf dem Tisch lag ein kleines Handfunkgerät. Oskar zog noch einen Stuhl heran und setzte sich dem Gefangenen gegenüber. Die anderen blieben stehen.

„Wenn du schreist, kriegst du eins über den Schädel", sagte Oskar zu Widmer, auf dessen bleicher Stirn sich langsam Schweissperlen bildeten. „Also los, wo sind die Papiere?"

Widmer versuchte sich zusammenzureissen und überlegte verzweifelt, wie er Zeit gewinnen konnte. Wozu wusste er selbst nicht, denn hier würde ihn so oder so niemand finden. Doch er wollte nicht reden, wollte ihnen die Adresse nicht verraten. Er schämte sich seiner Angst und wollte durch sein Schweigen etwas von seiner verlorenen Selbstachtung zurückgewinnen. Die Blicke der Männer um ihn herum schienen ihn buchstäblich zu durchbohren. Während er in Oskars helle Augen starrte, jagten sich seine Gedanken. Wie waren sie auf ihn gekommen? Wer hatte ihn verraten? Segura? Der Pfarrer?

„Komm, red' schon!" drängte Oskar.

Widmer schaute zur Seite und presste die Lippen zusammen. Plötzlich schnellte Oskar vor und versetzte ihm zwei harte Schläge ins Gesicht, jedoch so, dass die Haut nicht aufplatzte. Er wollte in der Wohnung keine Blutspuren hinterlassen.

„Die Adresse!" sagte er, während er sich wieder setzte. Widmers Gesicht brannte vor Schmerz, doch er schwieg. Da nahm Oskar das Funkgerät vom Tisch und schaltete es auf Sendung:

„Nummer Zwo! Nummer Eins an Nummer Zwo!"

Sofort antwortete eine Stimme: „Nummer Zwo an Nummer Eins, bitte kommen!"

„Seid Ihr in Stellung?"

„Direkt vor Ort."
„Gut. Besuch in fünf Minuten!"
„Verstanden: Besuch in fünf Minuten."
„Ende."

Er legte das Gerät wieder auf den Tisch und wandte sich erneut an den Gefangenen „Hör zu, Widmer: Ich habe zwei Männer vor dem Haus deiner Eltern postiert. In genau fünf Minuten werden sie bei ihnen klingeln. Deine Eltern werden aufmachen im Glauben, es sei ihr Sohn. Meine Männer haben den Auftrag, hineinzugehen und beide durch Kopfschuss zu töten. Wenn du mir vorher sagst, wo die Papiere sind, ruf ich sie zurück." Er warf einen Blick auf seine Armbanduhr. „Es bleiben dir noch viereinhalb Minuten."

Er erhob sich, entnahm der obersten Schublade einer Kommode eine Rolle Leukoplast und klebte Widmer einen Streifen über den Mund. Dann ging er hinaus, gefolgt von zwei seiner Helfer. Der dritte Mann setzte sich auf den freigewordenen Stuhl und beobachtete den Geknebelten.

Widmer glaubte zu ersticken. Aus jedem Atemzug wurde ein Schnauben, und er fühlte, wie seine Nasenflügel sich durch das beschwerliche Einatmen zusammenzogen. Er wollte schreien und ihnen sagen, was für Schweine sie waren. Wahnsinnige, Abschaum! Weshalb Unschuldige in diese Sache hineinziehen!

Seine Eltern! Er hatte kein Zeitgefühl mehr. Verzweifelt versuchte er durch Verdrehen des Kopfes und Verrenken seines Oberkörpers, einen Blick auf seine Armbanduhr zu werfen und, als ihm dies nicht gelang, die Uhr seines Bewachers abzulesen. Der jedoch hielt seinen Arm so, dass Widmer das Zifferblatt nicht sehen konnte. Nun überkam ihn vollends Panik. Er starrte den andern aus angsterfüllten Augen an und stiess im hilflosen Versuch, zu sprechen, dumpfe, unverständliche Laute aus. Sein Kopf bewegte sich wild, einmal auf und ab, dann wieder hin und her, zur Tür deutend. Sein Bewacher erhob sich, ging ohne Eile zur Tür, sagte etwas zu jemandem, der draussen wartete, und setzte sich wieder auf seinen Stuhl. Oskar kam herein.

„Willst du reden?“ fragte er. In der Gelassenheit, mit er er sprach, lag etwas Grausames. Widmer nickte verzweifelt. Da fuhr Oskar mit den Fingernägeln seiner rechten Hand unter das Heftpflaster und riss es mit einem Ruck von Widmers Mund. Widmer zuckte unter dem plötzlichen Schmerz zusammen. Er machte ein paar tiefe, keuchende Atemzüge und schaute seinen Peiniger flehend an.

„Halten Sie die Männer auf! Rufen Sie –“

„Wo sind die Papiere?“

„Die Männer . . . ! Bitte . . . ! “

„Die Adresse, Widmer!“

Widmer hatte das Gefühl, wahnsinnig zu werden. Auf seinem von Oskars Schlägen angeschwollenen Gesicht lag ein gehetzter Ausdruck. Er war den Tränen nahe und konnte kaum noch sprechen. Die Sekunden verflossen, unwiederbringlich.

„Lambert“, stammelte er. „Jean – nein, Jacques Lambert in Basel . . . “

„Wo in Basel?“

„Schweizerische Bankgesellschaft.“

„Privatadresse!“

„Ich kann mich nicht erinnern. Ich war bei ihm zu Hause, aber ich kann mich nicht an den Namen der Strasse erinnern! Bitte rufen Sie die Männer zurück! . . . “

Oskar nahm mit einer lässigen Bewegung, für Widmer viel zu langsam, das Funkgerät vom Tisch. Es dauerte unendlich lange, bis er zu sprechen begann.

„Nummer Zwo! Nummer eins an Nummer Zwo!“

„Nummer Zwo an Nummer Eins. Bitte kommen!“

„Besuch stop!“

„Verstanden: Besuch stop."

„Ende."

Er legte das Funkgerät zurück, schaute auf seine Uhr, hob den Blick zu Widmer und sagte: „Du hättest noch eine Minute Zeit gehabt."

Widmer schluckte leer. „Mir ist schlecht", presste er heiser hervor. Oskar nahm ihm die Handschellen ab und führte ihn am Arm aus dem Raum. Beim Hinausgehen nickte er dem Mann – einem Franzosen – zu, der bei Widmer Wache gehalten hatte, und der sich auf das Zeichen hin an einer Reisetasche, die neben der Kommode auf dem Boden lag, zu schaffen machte. Oskar betrat hinter Widmer das Badezimmer und blieb, seine Schusswaffe wieder in der Hand, bei der Tür stehen. Widmer zitterte wie Espenlaub. Er übergab sich, und und während er keuchend und würgend über der Toilette gebeugt stand, wurde ihm auf einen Schlag klar, dass dies das Ende war. Wer immer die Leute waren, in deren Gewalt er sich befand: Sie mussten annehmen, er wisse über den Inhalt der Papiere Bescheid, die er in Basel abgeliefert hatte. Als Mitwisser war er eine Gefahr; sie konnten ihn nicht mehr freilassen.

Eisige Kälte begann sich von einem zentralen Punkt tief in seinem Innern auszubreiten, erreichte sein Herz, drückte zu, fuhr höher und erstickte seine Gedanken. Seine Beine gaben nach, und er sank langsam neben der Toilettenschüssel zu Boden.

Der Franzose hatte der Reisetasche ein kunstledernes Etui entnommen, das er nun geöffnet auf den Tisch legte. Es enthielt zwei Injektionsspritzen und mehrere volle Ampullen, von denen er sorgfältig eine auswählte. Nachdem er mit fachmännischer Geschicklichkeit eine Spritze aufgezogen hatte, begab er sich damit ins Badezimmer.

XI

Die Ausläufer des Schweizer Jura sind von Basel mit dem Auto in weniger als einer halben Stunde erreichbar. Die hügelige Landschaft mit Wäldern, Dörfern und Bauernhöfen bildet an schönen Tagen einen starken Anziehungspunkt für Wanderer und Reitsportbegeisterte aus der Stadt.

Jetzt aber goss es in Strömen. Der Regen wurde von starken Böen fast waagrecht über den Asphalt getrieben und peitschte unaufhörlich gegen die Frontscheibe von Beatrice Lamberts Toyota. Frau Lambert und Tochter Corinne befanden sich auf dem Heimweg von einem Reitausflug. Es war ein sonniger Tag gewesen, doch gegen den späten Nachmittag hatten aufkommende starke Winde und ein sich rasch verdunkelnder Himmel, Vorboten des nahenden Unwetters, die beiden gezwungen, vorzeitig zu den Stallungen des Bauernhofes zurückzukehren, auf dem ihre Pferde in Pension gehalten wurden.

Frau Lambert sah keine fünfzig Meter weit und hatte das Tempo stark gedrosselt, so dass der Wagen auf der Landstrasse buchstäblich dahinkroch. Sie waren soeben durch ein Dorf gefahren. Nun stieg die Strasse leicht an und führte durch dichten Wald. Die Bäume links und rechts schützten die Strassenbenützer etwas vor den sturmartigen Winden, dafür verstärkten sie noch die von der Wolkendecke verursachte Düsterheit. Der Asphalt glänzte schwach im Licht der Autoscheinwerfer, welche die niederprasselnden Wassermassen nur mit Mühe zu durchdringen vermochten.

Die Fahrerin schaute angestrengt geradeaus, während der Rückspiegel die matt leuchtenden Abblendlichter eines in kurzem Abstand nachfolgenden Fahrzeuges auffing.

Plötzlich beschleunigte der Wagen scherte aus und überholte den Toyota, eine Wasserfontaine hinter sich herziehend, die Frau Lambert noch das letzte bisschen Sicht zuschwemmte.

„Verrückter Kerl!" Sie trat erschreckt auf die Bremse.

„So ein Mist, man sieht überhaupt nichts mehr!" empörte sich ihre Tochter und stellte gleich darauf verwundert fest: „Schau, der hält an . . . "

Der andere Wagen hatte, kaum dass er vor ihnen wieder eingeschwenkt war, stark abgebremst. Er verlangsamte seine Fahrt noch mehr und zwang so Beatrice Lambert, ebenfall zu bremsen, bis beide Wagen stillstanden. Dann erschütterte ein Ruck den Toyota. Er war von einem weiteren Wagen von hinten gerammt worden, so dass er nun ohne Ausweichmöglichkeit eingeklemmt mitten auf der Strasse stand.

Alles ging nun rasend schnell. Die zwei Frauen sahen mehrere Gestalten durch den Regenvorhang auf sich zu stürzen. Der Schlag zum Fahrersitz wurde aufgerissen, jemand beugte sich über die überraschte Lenkerin, öffnete mit einem raschen, geübten Griff die Schnalle des Sicherheitsgurtes und zerrte die Frau aus dem Wagen. Zwei Sekunden später sass sie wieder drin, diesmal in die Polster des Fonds gepresst, zwischen zwei Männern, von denen ihr der eine einen Pistolenlauf in die Seite drückte und der andere mit einem gekonnten Handgriff eine Augenbinde überzog. Ein dritter hatte sich inzwischen ans Steuer gesetzt und ihrer vor Schreck wie gelähmten Tochter ebenfalls die Augen verbunden. Die Wagenkolonne setzte sich wieder in Bewegung.

Sie befanden sich hier auf einer wenig befahrenen Nebenstrasse, was die Wahrscheinlichkeit, bei dem blitzartig durchgeführten Coup gestört zu werden, zu einem kalkulierbaren Risiko schrumpfen liess. Der Fahrer des vordersten Wagens hatte sich am Vormittag während mehreren Stunden mit dem Strassennetz und den örtlichen Verkehrsgegebenheiten vertrautgemacht. Nun führte er die anderen in vorsichtiger, nicht zu schneller Fahrt zur Basis, die ihnen Lipmann auch hier organisiert hatte.

Beatrice Lambert sass zwischen ihren Entführern eingepfercht, ihr schreckensbleiches Gesicht nach links gewandt, von wo sie den Druck der Pistole spürte.

„Wer sind Sie?! Was wollen Sie?!" Ihre Stimme verriet Panik.

„Verhalten Sie sich ruhig und tun Sie, was wir Ihnen sagen, dann geschieht Ihnen nichts", kam die Antwort auf hochdeutsch. Der Mann zu ihrer Rechten hatte sich vorgebeugt und beobachtete Corinne scharf.

„Wenn Sie hinausspringen oder sonst was Dummes tun wollen, erschiessen wir Sie ohne Warnung, klar!" sagte er. Haar und Kleider der drei Männer waren klatschnass, und die paar Sekunden, in denen Frau Lambert durch den Regen gezerrt worden war, hatten genügt, ihre Frisur in einen Haufen triefender Strähnen zu verwandeln. Niemand sprach mehr. Beatrice Lambert hielt die Hände zu Fäusten geballt, um ihr Zittern zu unterdrücken, während ihre siebzehnjährige Tochter steif im Sitz sass, die blutleeren Lippen halb geöffnet, die Hände um den grauen Sicherheitsgurt über ihrer Brust verkrampft.

Nach dreissigminütiger Fahrt, zuletzt über einen schmalen Privatweg, erreichten sie ein flaches, zweistöckiges Gebäude abseits der Strasse. Der vorderste Wagen hupte kurz, und sogleich schob sich ein breites Metalltor beiseite. Die Fahrer steuerten ihre Wagen in eine grosse Halle, welche einst eine mechanische Werkstatt enthalten hatte und nun leer stand. Es roch nach Schmierfett und Motoröl.

Mutter und Tochter mussten aussteigen und wurden über eine Wendeltreppe am Ende der Halle nach oben gebracht. In einem ausgedienten Büroraum mussten sie sich gleich auf zwei Feldbetten legen. Die Männer fesselten sie an Händen und Füssen und banden sie so am Gestell fest, dass sie weder aufsitzen noch mit den Händen ihre Augenbinden erreichen konnten.

„Bleiben Sie ruhig", es war die Stimme, welche dieselbe Warnung bereits vor einiger Zeit im Auto ausgesprochen hatte. „Es wäre völlig sinnlos, zu schreien. Wir sind hier sehr abgelegen."

Der Regen trommelte hart gegen die schmutzigen Fensterscheiben. Frau Lambert hörte, wie mehrere Personen den Raum verliessen. Eine Tür fiel ins Schloss.

„Corinne", sagte sie leise, „bist du da?"

„Ich bin hier, Mamma, gleich neben dir."

Sie wandte ihr Gesicht in die Richtung, aus der die zittrige Stimme ihrer Tochter kam. „Wie geht es dir? Haben sie dir weh getan?"

„Nein, aber ich kann mich nicht –"

„Halten Sie den Mund!" fuhr da die Stimme von vorhin dazwischen. Mindestens einer der Männer war also noch im Zimmer. Frau Lambert hatte sich inzwischen etwas von ihrem Schock erholt.

„Was wollen Sie von uns?" fragte sie.

„Nichts", lautete die lakonische Antwort.

„Wieso? Ich versteh nicht . . . "

„Wir wollen mit Ihrem Mann ein Geschäft abschliessen. Wenn er mitmacht, sehen Sie ihn bald wieder. Doch wenn Sie jetzt nicht das Maul halten, kleb' ich's Ihnen mit Heftpflaster zu, kapiert?"

Beatrice Lambert biss sich auf die Lippen und schwieg. Sie wunderte sich darüber, dass man für eine Erpressung – denn nur um eine solche konnte es sich ja handeln – ausgerechnet ihre Familie ausgesucht hatte. Das Gehalt ihres Mannes erlaubte ihnen zwar ein äusserst angenehmes Leben mit eigenem Haus, zwei Autos, kostspieligen Hobbys und schönen Ferien, grosse finanzielle Reserven hingegen besassen sie keine. Jacques würde Freunde der Familie um Hilfe angehen müssen, und da war schliesslich noch die Bank. Ja, die würde ihm gewiss helfen, falls er die geforderte Summe nicht aufzubringen vermochte.

Die straffen Fesseln liessen Frau Lambert beinah keinen Spielraum; einzig den Kopf konnte sie etwas bewegen. Sie hätte gerne mit ihrer Tochter gesprochen, um ihr Mut zu machen, doch sie fürchtete zu sehr, ihr Wächter werde seine Drohung wahr machen.

Um neun Uhr abends hatte sich der Wind gelegt, und es regnete nicht mehr. Lambert sass am Schreibtisch in seinem Arbeitszimmer vor einigen Akten, die er vom Büro mit nach Hause gebracht hatte, um sie im Laufe des Abends durchzusehen. Er war nervös und schlechtgelaunt. Es war recht ungewöhnlich, dass Beatrice und Corinne so lange wegblieben, ohne ihn zumindest telefonisch wissen zu lassen, wo sie waren. Er hatte auch schon an die Möglichkeit eines Reit- oder Autounfalls gedacht, doch wenn ihnen wirklich etwas zugestossen wäre, versuchte er sich zu beruhigen, hätte man ihn sicher längst benachrichtigt.

Ausserdem wartete er auf einen Besucher, der, obwohl auf acht Uhr angemeldet, noch immer nicht eingetroffen war. Am Vormittag hatte Widmer angerufen und um eine sofortige Unterredung gebeten. Es ging dabei um die Papiere, die er vor drei Tagen abgeliefert hatte. Da es ihm offenbar nicht möglich war, Lambert während der offiziellen Geschäftszeit im Büro aufzusuchen, hatte dieser eingewilligt, ihn nochmals am späteren Abend bei sich zu Hause zu empfangen. Für Lambert war es nichts Aussergewöhnliches, sich auch ausserhalb der Bürostunden mit Kunden seiner Bank zu treffen, wenn dies zeitliche Umstände und Gründe der Diskretion erforderten.

Widmer hatte am Telefon sonderbar abgehackt gesprochen und nur vage Andeutungen über den Grund seines beabsichtigten Besuches gemacht. Lambert fragte sich allerdings, was es wohl noch zu besprechen gab, zumal am Tag zuvor Segura persönlich aus Frankfurt angerufen hatte, um sich von Lambert den Empfang des Umschlages bestätigen zu lassen. Er ärgerte sich über die Verspätung des Berners und bereute, ihn nicht definitiv auf die Öffnungszeiten der Bank verwiesen zu haben. So wichtig war dieser Segura nun auch wieder nicht. Die Höhe seines Kontos rechtfertigte es keineswegs, dass man sich seinetwegen noch die Abende um die Ohren schlug.

Das sanfte, melodiöse Läuten der Glocke unterbrach Lamberts Gedankengang. Als er die Haustür öffnete, stutzte er. Draussen stand Widmer, flankiert von zwei Fremden. Vielleicht lag es bloss am Licht der Lampe über dem Eingang, jedenfalls hatte Lambert den Eindruck, als sei Widmers untere Gesichtshälfte leicht verfärbt. Der Berner schaute ihn ohne ein Zeichen des Wiedererkennens aus stumpfen Augen an.

„Können wir eintreten, Herr Lambert?“ fragte der eine der beiden Unbekannten und tat, ohne eine Antwort abzuwarten, einige Schritte vorwärts, wobei er den Hausherrn einfach in die Diele zurückdrängte. Widmer vor sich her stossend, kam der zweite Fremde nach und schloss die Tür.

„Was soll das! . . . “ protestierte Lambert überrascht und entrüstet. „Wer sind Sie? Was wollen –“ Da bemerkte er erst richtig Widmers erbärmlichen Zustand. Erschrocken fasste er den völlig teilnahmslos Dastehenden am Arm. „Herr Widmer, um Gottes willen, was ist mit Ihnen los?!“

Der Angesprochene reagierte nicht. Unrasiert und bleich, schien er gar nicht zu bemerken, wo er war und was sich um ihn herum zutrug.

„Wir haben ihm einige Beruhigungsspritzen gegeben,

damit er uns keine Schwierigkeiten macht", sagte Oskar, der vorhin gesprochen hatte. Er schaute sich um. „Können wir uns irgendwo setzen?"

Lambert spürte die Gefahr, welche von den beiden Eindringlingen ausging, und hielt es für das beste, sich vorläufig ruhig zu verhalten, zumindest bis er wusste, was hier eigentlich gespielt wurde. Er ging voraus ins Wohnzimmer und blieb mitten im Raum stehen. Oskar packte den völlig willenlosen Widmer am Arm und drückte ihn neben sich auf das breite Ledersofa. Sein Gehilfe blieb in der Nähe der Wohnzimmertür stehen, wachsam, auf jede von Lamberts Bewegungen achtend, bereit, einzugreifen. Die eine Hand steckte in der stark gewölbten Jackentasche, und es schien Lambert, als halte sie dort einen länglichen Gegenstand umschlossen.

„Setzen Sie sich!" sagte Oskar und wies mit der Hand auf einen Sessel.

„Was wollen Sie?" wiederholte Lambert seine Frage von vorhin, ohne der Aufforderung nachzukommen. Er bemerkte die Wachsamkeit und fühlte die Kälte, mit der die hellblauen Augen des zurückgelehnt in den Polstern sitzenden Deutschen ihn musterten.

„Herr Lambert", begann Oskar, „vor drei Tagen überbrachte Ihnen Widmer einen Umschlag zur Aufbewahrung in einem Bankfach. Der Absender heisst Segura. Wir wollen den Umschlag."

Lambert glaubte, nicht richtig gehört zu haben. Langsam tat er zwei Schritte vorwärts und setzte sich steif auf den Rand eines Sessels, während er fieberhaft überlegte. Ihm war mitlerweile klar, dass Widmer zu seinem Anruf heute morgen gezwungen worden war, und er wunderte sich nicht mehr darüber, dass dessen Stimme am Telefon so unnatürlich geklungen hatte. Er musste damals bereits unter Drogen gestanden haben, und wahrscheinlich hatten sie die Dosis erst nach dem Anruf so erhöht, dass er in eine völlige Passivität verfiel.

„Wer sind Sie?" fragte er nochmals, um Zeit für weitere Überlegungen zu gewinnen. Oskar beugte sich vor.

„Es ist doch völlig egal, wer wir sind, Herr Lambert", antwortete er. „Wir wollen den Umschlag. Ich bin sicher, dass Sie ihn uns innert kürzester Frist beschaffen können. Soviel ich weiss, öffnen die Banken um halb acht Uhr morgens. Um acht Uhr morgen früh übergeben Sie mir die Papiere an einem Ort, den ich Ihnen noch nennen werde."

„Für wen arbeiten Sie?" Lambert wurde sich augenblicklich der Sinnlosigkeit seiner Frage bewusst.

„Fragen hilft Ihnen nicht weiter, Herr Lambert. Wir wollen ganz einfach die Papiere, und Sie werden sie uns liefern."

„Und wenn ich das nicht tue?"

Oskar antwortete nicht sofort, und Lambert fühlte etwas Unheimliches auf sich zukommen. Ihm war, als stünde der ganze Raum unter Hochspannung. Er war kein Mensch, der sich leicht einschüchtern liess, doch alles an der Haltung des Mannes, der vom Sofa zu ihm herüberschaute, verrieten eine beunruhigende Selbstsicherheit. Er warf einen Blick auf die Pendeluhr an der Wand. Es war zwanzig nach neun. Wo waren sie nur? Weshalb hatten sie noch nicht angerufen? Was würde geschehen, wenn sie jetzt plötzlich nach Hause kamen?

Der andere schien seine Gedanken erraten zu haben.

„Ihre Frau und Ihre Tochter werden heute abend nicht nach Hause kommen", sagte er.

„Was! . . . " Lambert starrte den Sprecher an, während eine eiskalte Faust nach seinem Herzen griff.

„Wir haben sie kassiert", fuhr Oskar in sachlichem Ton fort. „Bringen Sie mir morgen früh die Papiere, dann können Sie die beiden am Abend abholen."

Lambert sass da wie versteinert. Bei jeder Nachricht über eine Entführung, wann immer irgendwo auf der Welt Menschen mit dem Leben eines ihnen Nahestehenden erpresst worden waren, hatte er sich jeweils die Frage gestellt, wie er selbst in einer ähnlichen Situation wohl handeln würde. Manchmal wurden die Geiseln selbst dann umgebracht, wenn das Lösegeld bezahlt worden war. Ja, sie waren oft schon tot, noch ehe ihre Mörder begannen, Lösegeldforderungen zu stellen.

Lambert stand wieder vor seiner Frage, doch diesmal würde er sie beantworten müssen. Er begegnete Oskars eisigem Blick. Alles um ihn herum verschwand, löste sich in Nichts auf, nur die zwei stahlblauen, klaren Augen existierten. Was er in ihnen sah, war Härte und Gefühllosigkeit, aber auch das Wissen um die unzähligen Möglichkeiten, sich Menschen gefügig zu machen. Gib auf, sprachen sie, du hast keine Chance!

Er riss sich los von diesen Augen, die ihn überlegen und wachsam musterten, schaute zur Tür, wo der Aufpasser stand, dann zu Widmer, der mit leerem Blick, die Hände im Schoss und den Mund halb offen, neben Oskar sass. Schliesslich wandte er sich wieder an Oskar: „Sie lügen. Beweisen Sie mir, dass Sie meine Frau und meine Tochter haben. Lassen Sie mich mit ihnen telefonieren!"

Oskar schüttelte den Kopf. „Das geht nicht. Es gibt dort kein Telefon. Wenn Sie sie wiedersehen wollen, brauchen Sie bloss mit uns zusammenzuarbeiten." Er erwähnte das Funkgerät nicht, mit dem der Fahrer ihres vor dem Haus wartenden Wagens ausgerüstet war. Der Funkverkehr musste auf das Notwendigste beschränkt bleiben und es mussten Worte gewählt werden, aus denen ein zufällig auf der gleichen Frequenz mithörender Hobbyfunker keine gefährlichen Schlüsse ziehen konnte. Lambert über Funk mit den

Geiseln sprechen zu lassen, hätte ein zusätzliches Risiko gebracht.

Oskar Vlasov war, trotz seiner verrohten Seele, auf eine gewisse Art feinfühlig. In seinem Beruf war die Fähigkeit, den Gegner richtig einzuschätzen, eine Überlebensfrage. Deshalb ahnte er, dass der Mann, der ihm gegenübersass und nun mit zusammengekniffenen Lippen vor sich hinstarrte, nicht leicht zu manipulieren sein würde. Der war härter im Nehmen als Widmer, der schnell zusammengebrochen war, und würde sich erst geschlagen geben, wenn er Beweise sah. In Oskars einfachem Weltbild gehörte er zu der Sorte dummer, bornierter Kerle, die nicht zu erkennen vermochten, wann sie verloren hatten, und ihre eigene Uneinsichtigkeit für Courage hielten.

Als Lambert aufschaute und Oskar seinen entschlossenen Gesichtsausdruck sah, wusste er, dass er mit seiner Vermutung richtig lag. Schön, er würde Beweise liefern . . .

Jacques Lambert erhob sich, drehte sich um und durchquerte mit ruhigen Schritten den Raum. Sein Ziel war eine Kommode, auf der ein Telefon stand.

„Wen wollen Sie anrufen?“ fragte Oskar. Der Mann an der Tür rührte sich ein wenig, seine Haltung spannte sich.

„Die Polizei“, antwortete Lambert und hob den Hörer ab. Oskar fuhr mit der rechten Hand unter seine Jacke.

„Lambert, schauen Sie her!“ sagte er, während er eine Pistole mit Schalldämpfer hervorzog. Lambert drehte seinen Oberkörper halb in Richtung des Sprechers. Seine Linke hielt den Hörer, mit dem Zeigfinger der Rechten war er im Begriff zu wählen. Er sah die Schusswaffe, sah, wie Oskar sich zu Widmer umdrehte, diesem die Pistole an die Schläfe setzte und abdrückte. Es klang wie das Entkorken einer Flasche. Widmers Kopf wurde von der Wucht des Schusses zur Seite gerissen, doch der Körper rührte sich nicht. Der Tote blieb in der halb liegenden, halb sitzenden

Stellung, die er als Lebender zuletzt innegehabt hatte. Nur sein Kopf mit den halb geöffneten, starren Augen hing nun kraftlos zwischen den Schultern. Aus dem kleinen Loch in der Schläfe rann ein dünner Faden Blut über Kinn und Hals und verfärbte den Hemdkragen rot.

„Legen Sie den Hörer auf!“ sagte Oskar. Die Hand mit der Pistole lag auf seinem Schoss. Es roch schwach nach verbranntem Schiesspulver.

Als versuche er zu begreifen, was geschehen war, starrte Lambert zum Toten auf der anderen Seite des Wohnzimmers hinüber. Jeder Tropfen Blut war aus seinem Gesicht gewichen. Nach endlosen Sekunden senkte sich seine Hand mit dem Telefonhörer auf die Gabel, und er begann am ganzen Körper heftig und unkontrolliert zu zittern.

Der Mann an der Tür entspannte sich.

XII

Rainer Kollmann packte im Schlafzimmer seiner kleinen Frankfurter Wohnung eine lederne Reisetasche. Toilettenartikel, Wäsche, Schreibzeug. Diesmal würde die Reise nur kurz sein. Im Auftrag einer deutschen Presseagentur sollte er nach Basel fahren und über den dort stattfindenden Kongress von Amnesty International berichten.

Kollmann war einsachtundsiebzig gross, achtunddreissig Jahre alt, dunkelblond, und hasste regelmässige Arbeitszeiten. Als freischaffender Journalist war er die meiste Zeit unterwegs von einem Kriegs- oder Katastrophenschauplatz zum andern, um darüber für Zeitungen und Illustrierte zu Hause zu schreiben. Er zog dieses wirtschaftlich unsichere, dafür um so aufregendere und oft abenteuerliche Leben einer festen Anstellung in einer Redaktionsstube vor.

Obwohl sehr zurückhaltend, wenn es darum ging, eigene Ansichten zu äussern, war er nicht unpolitisch. Zuviel Elend war er an den Krisenherden Asiens und Afrikas schon begegnet, als dass sein Denken nicht davon beeinflusst worden wäre. In seiner journalistischen Arbeit versuchte er jedoch stets, sich auf die Tatsachen zu beschränken, dem Leser die Situation objektiv zu schildern, damit dieser sich seine eigene Meinung bilden konnte. Dies hatte ihm in Pressekreisen und beim Publikum den Ruf eines sachlichen und unvoreingenommenen Berichterstatters eingebracht.

Eigentlich befand Kollmann sich auf Urlaub zu Hause. Den „Basler“ Auftrag hatte er kurzfristig übernommen, um für einen erkrankten Kollegen einzuspringen. Ansonsten verbrachte er seine Zeit damit, sich auf eine längere Reise durch einen ihm noch fremden Erdteil vorzubereiten. Auf der Suche nach neuen Ufern hatte er beschlossen, für einige Zeit nach Südamerika zu gehen, und nun bestand seine

Hauptbeschäftigung darin, sich in einem Intensivkurs die nötigen Spanischkenntnisse anzueignen. Da ihm die starren Stundenpläne der gängigen Sprachschulen nicht behagten, hatte er sich nach einem Privatlehrer umgesehen, der eher in der Lage und bereit war, die Termine seinen Wünschen anzupassen. Auf eine Kleinanzeige, in der ein Südamerikaner Spanischunterricht anbot, rief er an. Man einigte sich, und am darauffolgenden Tag fand die erste Unterrichtsstunde statt.

Sein Lehrer hiess Luis Pérez, und Kollmann, der während den Jahren seiner journalistischen Tätigkeit ein besonderes Gespür für Verborgenes entwickelt hatte, fand bald heraus, was es mit Pérez' Aufenthalt in Deutschland auf sich hatte. Aus den Spanischstunden wurde mit den Wochen ein Geschichtsunterricht über Lateinamerika im weiteren Sinne und über El Luchador im besonderen. Es kam der Augenblick, wo der Schüler seinem Sprachlehrer vorschlug, gemeinsam mit ihm einen Bericht über das Terrorregime in El Luchador zu schreiben und zu veröffentlichen. Pérez hatte jedoch unter Hinweis auf die ihm drohenden Konsequenzen entschieden abgelehnt. Kollmann musste ihm sein Ehrenwort geben, über alles, was in diesem Zusammenhang zwischen ihnen gesprochen worden war, Stillschweigen zu bewahren.

Er versorgte gerade einige Hemden in der Reisetasche, als im Wohnzimmer das Telefon klingelte. Es war sein südamerikanischer Sprachlehrer. Kollmann hatte sich bei ihm für eine Woche vom Unterricht abgemeldet und ihn gleichzeitig über den Grund seiner Abwesenheit informiert.

„Ich rufe wegen Ihrer bevorstehenden Reise nach Basel an", sagte Pérez. „Wann fahren Sie?"

„Morgen früh, mit dem Intercity von sechs Uhr dreissig."

„Es ist etwas Unvorhergesehenes eingetreten, das mich dazu bewogen hat, nun doch zum Kongress zu fahren. Ich begleite einen Mann, der gestern über Umwege aus El Luchador nach Frankfurt geflogen ist und am Kongress aussagen wird. Ich dachte mir, da wir alle denselben Weg haben, könnten wir gemeinsam reisen."

Kollmann war überrascht, wusste er doch, wie gefährlich es für Pérez sein konnte, sich nach Basel zu begeben. „Natürlich. Ich werde meine Sitzreservation rückgängig machen und versuchen, drei beieinanderliegende Sitzplätze zu bekommen. Haben Sie Ihre Hotelzimmer bereits gebucht?"

„Ja, mein Landsmann hat das heute vormittag vom Sekretariat des Hotels, in dem er sich jetzt aufhält, erledigen lassen. Wir haben zwei Zimmer im Europe, das soll nicht weit vom Ort entfernt sein, wo der Kongress abgehalten wird."

„Ich steig im Alexander ab, von dem man mir ebenfalls gesagt hat, dass es in der Nähe sei. Ich ruf gleich die Reiseagentur an, welche für mich die Buchungen vorgenommen hat, und werde die Sitzreservation ändern. Wenn Sie wollen, können wir uns später treffen und gemeinsam die Fahrkarten abholen." Er schaute auf seine Armbanduhr. Es war drei Uhr nachmittags. „Sagen wir um fünf?"

„Das passt mir sehr gut."

Während er die Nummer der Reiseagentur wählte, dachte Kollmann an das Gespräch von vorhin. Er war gespannt darauf, den Fremden kennenzulernen, der Pérez offenbar dazu bringen konnte, aller Gefahr zum Trotz den Kongress zu besuchen. Die Aussicht, gemeinsam mit den beiden Luchadorianern zu reisen, kam seinem ausgeprägten beruflichen Ehrgeiz entgegen, der ihn stets nach Möglichkeiten suchen liess, sich gegenüber seinen Berufskollegen einen Informationsvorsprung zu verschaffen. Vielleicht ergab sich während der dreistündigen Zugsfahrt die Gelegenheit, im voraus etwas über das zu erfahren, was die anderen Reporter erst später, am Kongress, vernehmen würden.

Pünktlich zur verabredeten Zeit trafen sie sich und holten gemeinsam die bestellten Fahrscheine ab, ohne zu merken, dass sie dabei beobachtet wurden. Anschliessend begaben sie sich in eine nahe Wirtschaft und bestellten Bier. Kollmann brannten die Fragen auf der Zunge, doch er beherrschte sich und wartete, bis Pérez zu sprechen begann.

„Sie wundern sich wahrscheinlich über meinen Entschluss, nun doch nach Basel zu fahren", sagte dieser, als sie den ersten Schluck genommen hatten. Kollmann nickte.

„Das hängt mit Segura zusammen, dem Mann, über den ich vorhin am Telefon mit Ihnen gesprochen habe." Pérez klärte Kollmann darüber auf, wer Segura war und wozu er nach Basel reisen wollte, ohne jedoch näher auf die Dinge einzugehen, über die der General am AI-Kongress zu berichten beabsichtigte.

„Wo hält er sich jetzt auf?"

„Er hat ein Zimmer im Savoy."

„Sie haben mir einmal gesagt, Sie dürfen sich nicht öffentlich über die Zustände in Ihrem Land äussern, weil Sie sonst Ihr Leben aufs Spiel setzen würden. Wie kommt es, dass ein hoher luchadorianischer Armeeoffizier desertieren und sich gegen seine eigene Regierung stellen kann, ohne dass ihm etwas geschieht?"

„Es wäre ja beinah etwas geschehen." Pérez erzählte, was sich am Flughafen zugetragen hatte und erwähnte die in der Schweiz hinterlegte Kopie von Seguras Bericht. Er fuhr fort: „Segura glaubt zwar, dass der luchadorianische Geheimdienst versuchen wird, auf irgend eine Weise an die Kopie heranzukommen, doch in der Zwischenzeit bleibt er unbehelligt. Die würden sich ins eigene Fleisch schneiden, wenn sie ihm etwas antäten."

„Und was ist mit Ihnen? Haben Sie keine Bedenken wegen Ihrer persönlichen Sicherheit?"

Pérez schüttelte den Kopf. „Nicht mehr. Als Segura mich bat, ihn zu begleiten, wollte ich anfänglich nicht. Costa leidet, wie alle Tyrannen, an permanentem Verfolgungswahn und vermutet überall Komplotte gegen sich, sogar bei uns hier in Europa, die wir ja ohnehin schon Tag und Nacht überwacht werden. Deshalb dachte ich zuerst, dass es sich bei Segura um ein Kuckucksei handle, das man uns ins Nest legen wollte. Mittlerweile bin ich jedoch überzeugt, dass er die Wahrheit spricht. Nein, ich habe keine Bedenken mehr. Segura hat den Schutz seiner ‚Versicherungspolice' auf mich ausgedehnt. Zudem glaube ich, dass wir immer noch von deutschen Agenten überwacht werden. Im Augenblick sind wir also einigermassen sicher."

„Costa kann also nichts mehr tun, um noch rechtzeitig an die Kopie in der Schweiz heranzukommen?"

„Ich wüsste nicht was."

„Weiss jemand, bei welcher Bank die Papiere liegen?"

„Nein, niemand, auch nicht Seguras Helfer zu Hause."

„Wie sind die Papiere überhaupt in die Schweiz gelangt?"

„Durch einen Kurier, dessen Identität nur Segura selbst und einem Pfarrer in Resistencia bekannt ist. Niemand weiss von der Verbindung Seguras zum Geistlichen. Nach dem, was Segura mir erzählt hat, ist es völlig unvorstellbar, dass irgend jemand auch nur die geringste Ahnung hat, wo die Papiere sich befinden."

„Wissen Sie es?"

„Nein."

„Diese Verschwörung in El Luchador, die Sie vorhin erwähnt haben und derentwegen Segura zum Kongress reisen will ..."

„Ich weiss, worum es sich handelt, möchte jedoch hier

und jetzt nicht darüber sprechen. Segura soll selbst entscheiden, wer wann zuerst davon erfährt."

„Natürlich." Kollmann war etwas enttäuscht. „Wann findet sein Auftritt statt?"

„Das ist noch nicht entschieden. Im Augenblick versucht er, vom Hotel aus das Organisationskomitee in Basel zu erreichen. Er möchte seine Rede gleich nach seiner Ankunft morgen vormittag halten."

Es entstand eine Pause, während sie ihr Bier austranken.

„Noch eins?" fragte Kollmann.

„Nein danke. Ich habe in einer halben Stunde eine Klasse."

Eine Viertelstunde später wusste Henderson Bescheid über das Treffen. Am nächsten Morgen sollte es also losgehen. Nun waren es bereits drei. Wieviel wusste dieser Kollmann? Der Mann, der Pérez observierte und den beiden in die Reiseagentur gefolgt war, hatte zwar den Namen mitbekommen, auf den die Zugsreservation lautete, sowie die Abfahrtszeit. Auch die Namen der Hotels, in denen sie in Basel absteigen würden, waren gefallen. In der Wirtschaft hatte er sich jedoch nicht nahe genug an die beiden heransetzen können, um etwas von ihrer Unterhaltung mitzukriegen. Kollmann war ein zusätzlicher Risikofaktor und musste im Zweifelsfall ebenfalls neutralisiert werden. Henderson war unzufrieden, die Sache wurde kompliziert. Jedenfalls musste Oskar neu instruiert werden.

Um sechs Uhr fünfzehn des folgenden Morgens betrat Kollmann den Hauptbahnhof und begab sich zu seinem Zug. Er suchte den Sitzplatz, dessen Nummer auf seinem Reservationsschein stand, versorgte seine Reisetasche im Gepäckfach darüber und trat, da seine Reisegefährten noch nicht da waren, wieder auf den Bahnsteig hinaus, um dort auf sie zu warten.

Nach einigen Minuten erspähte er sie unter den Reisenden, die den Bahnsteig entlang kamen. Von weitem schon musterte er gespannt den Mann im dunklen Regenmantel, der neben Pérez her ging, in der einen Hand sein angekettetes Diplomatenköfferchen, in der anderen eine Reisetasche. Als sie vor ihm standen, und Pérez den Journalisten mit Segura bekanntgemacht hatte, sagte dieser auf englisch: „Vielen Dank für Ihre Hilfe bei der Sitzreservation. Ich glaube, Mister Pérez hat Sie auch über die ungewöhnliche Situation aufgeklärt, in der wir uns befinden. Es ist nicht ganz ungefährlich, mit mir zu reisen."

„Ich bin es gewohnt, Risiken einzugehen", antwortete Kollmann, der fliessend Englisch sprach, leichthin. In der Tat hatte er sich in der Ausübung seines Berufes schon oft in weit grössere Gefahren begeben. Während er die paar Schritte zur Waggontür vorausging, überlegte er, wie er sich während der Reise verhalten sollte, welche Taktik Segura dazu bringen könnte, ihn vorzeitig in sein Geheimnis einzuweihen.

Pünktlich um sechs Uhr dreissig rollte der Zug sanft und lautlos an. Kollmann hatte einen Fensterplatz mit dem Rücken zur Fahrtrichtung, ihm gegenüber sass Segura, und neben diesem Pérez. Der Sitzplatz neben Kollmann war von einer ungefähr vierzigjährigen Frau besetzt. Auf den zwei Einzelplätzen am gegenüberliegenden Fenster sassen ein Mann und eine Frau, dem Anschein nach ein Ehepaar.

Kollmann betrachtete seine zwei Reisegefährten. Pérez hatte eine deutschsprachige Zeitung aus der Tasche gezogen und sich darin vertieft. Segura schien, wie er, in die Polster zurückgelehnt, durch das Fenster auf die vorüberziehende Landschaft schaute, völlig in Gedanken versunken. Den Aktenkoffer hatte er zwischen sich und der Armlehne auf der Fensterseite eingeklemmt. Die Kette war lange genug, dass er den Arm auf der Armlehne aufstützen und mit der Hand das hervorragende Ende des Köfferchens umfassen konnte. Irgendwo im Zug sassen seine Landsleute, die ihn und Pérez nicht aus den Augen liessen, und deutsche Sicherheitsbeamte, die auf alle zusammen aufpassen mussten. Es war ihm nicht anzusehen, ob ihn die Tatsache, dass er eingekreist war von anonymen Beobachtern, die jede seiner Bewegungen registrierten, sonderlich beunruhigte.

Kollmann fand die Situation bizarr und unwirklich. Wo waren sie, diese Agenten? Die Frau neben ihm las in einer Illustrierten. Arzt- oder Anwaltsgattin, dachte er. Die Sicherheitsdienste setzten für Überwachungsarbeiten auch Frauen ein, doch diese hier schien für eine solche Aufgabe denkbar schlecht geeignet. Zu elegant war ihre Kleidung, zu perfekt das Make-up. Gewiss nicht die Person, die zweimal an einem vorbeigehen konnte, ohne aufzufallen. Das Paar am Fenster gegenüber? Die beiden unterhielten sich ungezwungen. Hin und wieder schaute der Mann herüber, so wie man seinen Blick umherschweifen lässt, wenn man gezwungen ist, längere Zeit auf ein und demselben Platz zu sitzen. Vielleicht befanden sich die Aufpasser im Nichtraucherabteil oder in den Vorräumen an den beiden Wagenenden, oder sie sassen in den anschliessenden Wagen. Wo sie sich auch aufhielten, Segura konnte ihnen nicht entkommen. Sie brauchten lediglich die Ausgänge des Wagens zu beobachten, in dem er und seine Begleiter sassen.

Von Zeit zu Zeit durchschritten Reisende das Abteil auf dem Weg zum Speisewagen, zur Toilette oder zurück zu ihren Sitzplätzen. Vielleicht einer von ihnen . . .

Kollmann gab das Raten auf und wandte seine Gedanken wieder dem Mann zu, der ihm gegenübersass. Er fragte sich, was wohl geschehen würde, wenn Seguras Verfolger durch Zufall, durch eine unglückliche Fügung, mochte dies zum jetzigen Zeitpunkt auch noch so undenkbar sein, an die Papiere auf der Bank herankamen. Sie würden sich nicht damit begnügen, Segura auch noch die Originale abzujagen. Es war leicht auszurechnen: Wovon auch immer der Bericht handelte, der General hatte bestimmt jede Einzelheit davon im Gedächtnis. Das genügte, um auch ohne schriftliche Unterlagen noch gefährlich zu sein. Dazu kam, dass jeder, der mit Segura zusammengewesen war, automatisch im Verdacht stehen musste, Bescheid zu wissen. Die sich daraus ergebenden Konsequenzen waren eindeutig. Kollmann spürte nun doch eine leichte Verkrampfung in der Magengcgend, doch er beruhigte sich auch gleich wieder. Wie sollten sie auch nur schon die richtige Bank herausfinden, vom Herausholen der Papiere einmal ganz abgesehen? Ausserdem befanden diese sich vielleicht ganz woanders, und Segura hatte bloss von einer Bank gesprochen, um seine Verfolger irrezuführen. Nein, redete Kollmann sich ein, die Papiere waren sicher, und mit ihnen Segura, Pérez – und er selbst.

XIII

Jacques Lambert kam an diesem Morgen wie gewöhnlich um halb acht Uhr ins Büro. Die Mitarbeiter, denen er begegnete, musterten ihn verwundert. Er sah übernächtigt aus; die Augen rotumrändert, das Gesicht aschfahl. Seine Sekretärin war deshalb auch nicht überrascht, als er ihr auftrug, sämtliche Termine abzusagen, da er sich nicht wohl fühle und wieder nach Hause gehen werde. Er habe bloss die Akten, welche er am Abend vorher zum Durchsehen mit nach Hause genommen hatte, ins Büro zurückbringen wollen für den Fall, dass sie dringend benötigt würden. Kurz darauf verliess er das Bankgebäude wieder mit einer schmalen Aktentasche, gemäss Oskars Anweisung, durch den Haupteingang. Er wandte sich nach rechts und ging die Strasse hinauf in Richtung Aeschenvorstadt, wo sich einige Gehminuten entfernt das Restaurant Bistrot befand. Um zwei Minuten vor acht erreichte er das Lokal. Als er es betreten wollte, wurde er am Arm zurückgehalten. Verschreckt drehte er sich um.

„Ich dachte, Sie warten drinnen auf mich“, sagte er nervös, als er Oskar sah. Dieser hatte ihm befohlen, sich punkt acht Uhr mit Seguras Papieren im Bistrot einzufinden.

„Ich hab's mir eben anders überlegt“, antwortete der Deutsche lakonisch und nahm Lambert die Aktentasche aus der Hand. Sie standen vor dem Eingang, und als jemand das Restaurant betreten wollte, taten sie einige Schritte zur Seite.

„Wann lassen Sie sie frei?“ fragte Lambert mit belegter Stimme.

„Wenn alles gut geht, können Sie sie heute abend abholen.“

„Wenn alles gut geht?!" Lambert packte den andern am Arm. „Sie haben mir verspro –"

„Lassen Sie mich los, verdammt nochmal!" zischte Oskar. „Glauben Sie, es hilft Ihnen, wenn Sie hier Aufsehen erregen?"

Lambert liess die Hand sinken. Sein Mund war ein dünner, blutleerer Strich, und die Worte drohten ihm im Hals steckenzubleiben. „Sie haben mir gesagt, dass ich sie heute nachmittag wiedersehen werde!"

Oskar hatte sich wieder entspannt. „Hören Sie", sagte er ruhig, „auf ein paar Stunden kommt es doch wohl auch nicht mehr an. Ich bin sicher, dass bis zum späten Nachmittag alles vorbei sein wird. Gehen Sie jetzt nach Hause und warten Sie dort auf meinen Anruf."

Er drehte sich um und ging weg. Lambert verfolgte ihn mit seinen Blicken, während Verzweiflung ihm die Kehle zuschnürte. Als er Oskar mit der Aktentasche um eine Ecke verschwinden sah, ging er in entgegengesetzter Richtung davon. Nach einer Weile hielt er ein Taxi an und fuhr nach Hause. Seinen Wagen, mit dem er ins Geschäft gefahren war, liess er in der Garage der Bank stehen.

Zu Hause betrat er das Wohnzimmer und blieb vor dem Sofa stehen, auf dem noch immer Widmers Leiche lag. Lange starrte er auf die tote Gestalt hinunter, ehe er sich in sein Arbeitszimmer schleppte, wo er mit einem Gefühl unbeschreiblichen Elends in den Schreibtischsessel sank. Auf dem Schreibtisch vor ihm stand ein Telefon, doch er wagte es nicht, die Notrufnummer der Polizei zu wählen. Zu eindringlich hatten sie ihn gewarnt, dass ein Anruf den Tod für Frau und Tochter bedeuten würde. Verzweifelt klammerte er sich an das Versprechen ihres Anführers, Corinne und Beatrice in einigen Stunden freizulassen. Er verschränkte die Arme auf der Schreibtischplatte und vergrub sein Gesicht darin.

Oskar stieg in einen bereitstehenden Wagen, dessen Fahrer sofort losfuhr, ohne einen Befehl abzuwarten. Sie erreichten in wenigen Minuten das Nobelhotel Schweizerhof am Zentralbahnplatz, knappe hundert Meter vom Basler Hauptbahnhof entfernt. Der Wagen blieb auf dem kleinen Parkplatz vor dem Hotel stehen. Oskar ging die breiten Steinstufen zum Haupteingang empor, betrat die Hotelhalle und lenkte seine Schritte geradewegs zum Aufzug. Im dritten Stock klopfte er an die Tür mit der Nummer 309.

„Ich bin Oskar", sagte er auf englisch zu dem ungefähr fünfundfünfzigjährigen, gutgekleideten Herrn, der ihm öffnete.

„Alvarez", antwortete dieser und liess den Besucher eintreten. Sie befanden sich in einem kleinen Salon mit anschliessendem Schlafzimmer. Oskar übergab dem Kontaktmann, der ihm von Lipmann angegeben worden war, die Aktentasche. Alvarez legte sie auf den runden Salontisch und öffnete sie. Er entnahm ihr den Umschlag, den Widmer vor einigen Tagen an Lambert abgeliefert hatte, und schlitzte ihn mit einem Brieföffner auf. Nachdem er den Inhalt – ein Bündel von einem Plastikhefter zusammengehaltener Papiere – herausgenommen hatte, setzte er sich an den Tisch und begann, die einzelnen Blätter zu überfliegen. Es waren zahlreiche Fotos dabei.

Oskar lümmelte sich in einen Polstersessel und zündete sich eine Zigarette an. Seine Uhr zeigte ein Viertel nach acht.

Nachdem Alvarez sich ungefähr zehn Minuten lang mit den Papieren beschäftigt hatte, schaute er auf und nickte mit dem Kopf. „Alles in Ordnung." Sein südamerikanischer Akzent war unüberhörbar.

„Sind Sie sicher?"

„Absolut. Holen Sie jetzt die Originale!"

Sie erhoben sich, und Alvarez begleitete Oskar zur Tür.

„Ich werde mein Zimmer nicht verlassen, bis Sie zurück sind“, sagte er. Oskar nickte und ging zum Aufzug.

Alvarez schloss die Tür und drehte den Schlüssel. Anschliessend nahm er Papiere, Fotos und Umschlag und ging damit ins Badezimmer. Er hielt das erste Blatt über das Waschbecken und zündete es mit seinem Feuerzeug an. Als es bis zur letzten Faser verbrannt war, zerdrückte er mit den Fingern die verkohlten Reste und spülte die schwarzen Flocken den Abfluss hinunter. Dann ergriff er das zweite Blatt. Zuletzt verbrannte er den Umschlag.

Der Intercity hatte Mannheim hinter sich gelassen. Kollmanns unaufdringlichen Bemühungen zum Trotz war während der ganzen bisherigen Reise ein längeres Gespräch nicht in Gang gekommen, und der Journalist hatte die Hoffnung aufgegeben, etwas aus Segura herauszubekommen. Der General schaute zum Fenster hinaus, was er mit kurzen Unterbrüchen die ganze Zeit seit Frankfurt getan hatte. Pérez sass mit geschlossenen Augen und verschränkten Armen da. Es war nicht klar ersichtlich, ob er schlief oder ob er sich bloss tief in seine Gedankenwelt zurückgezogen hatte. Kollmann konzentrierte sich, da ihm nichts anderes zu tun blieb, auf die Lektüre der Zeitung, die er sich von Pérez ausgeliehen hatte.

„Mister Kollmann . . . “ Die Stimme des Generals unterbrach ihn beim Lesen, und er schaute auf.

„Was wird Ihrer Meinung nach geschehen, wenn der Kongress zu Ende ist?“ fragte Segura.

„Wie meinen Sie das?“ Kollmann faltete die Zeitung zusammen und legte sie auf die Ablage unter dem Fenster.

„Ich meine, was werden die Länder des freien Europa unternehmen, wenn sie wieder einmal in unwiderleglicher Form erfahren haben, was in der Welt um sie herum geschieht?“

Sie sprachen mit verhaltener Stimme, so dass nur die in unmittelbarer Nähe Sitzenden sie verstehen konnten. Pérez hatte bei den ersten Worten seines Landsmannes die Augen geöffnet und hörte nun zu, obwohl er über zu geringe Englischkenntnisse verfügte, um ihrer Unterhaltung folgen zu können. Die Frau neben Kollmann war noch immer am Lesen, doch hatte sie die Illustrierte mit einem Buch vertauscht. Sie hatte kurz aufgeschaut, so wie man reagiert, wenn jemand in der Nähe nach längerem Schweigen plötzlich zu sprechen beginnt.

War das die Frage, wunderte sich Kollmann, über die Segura während der vergangenen zwei Stunden gebrütet hatte?

„Das kommt auf das Ausmass der Beachtung an, das der Kongress hervorrufen wird“, antwortete er vorsichtig.

„Oder auf die Beachtung, die man ihm zu schenken bereit ist ... “ Klang da ein Hauch von Sarkasmus in der Stimme des Südamerikaners mit?

„Wieso glauben Sie, dass die Öffentlichkeit den Kongress nicht beachten wird?“ fragte der Journalist.

„Das habe ich nicht gesagt.“ Segura machte eine kurze Pause, ehe er weitersprach. „Doch Sie sagen Öffentlichkeit. Wer ist diese Öffentlichkeit? Der gewöhnliche, als einzelner einflusslose Bürger, in dessen Namen die Regierungen handeln oder das Handeln eben unterlassen? Die Politiker, in ihren Entscheidungen durch Wahlabhängigkeiten und Sachzwänge eingeengt? Die Wirtschaft? Verstehen Sie mich nicht falsch, Mister Kollmann: Es ist richtig, dass die Politiker von den Bürgern gewählt werden. Ich bin ja hier, um dies auch für mein Land zu erreichen. Doch wie weit seit Ihr Europäer daran interessiert, anderen Völkern wirklich zu helfen? Und da ich mich, wie Sie mir glauben können,“ – wieder dieser sarkastische Unterton – „gut auskenne in den lateinamerikanischen Machtverhältnissen, frage ich mich auch, wie eine Organisation, welche sich für die weltweite Einhaltung der Menschenrechte einsetzt, je mehr wird sein können als eine Gruppe Idealisten, die gegen Windmühlen kämpfen."

Kollmann war bestürzt. Er hatte nicht erwartet, dass Segura, der ja schliesslich seine eigene Existenz aufs Spiel setzte, um am AI-Kongress zu sprechen, sich so kurz vor dem Ziel noch von Zweifeln dieser Art verunsichern lassen würde. Begann der Berufssoldat jetzt, nachdem er die Seiten gewechselt hatte, sich nach dem Sinn oder Unsinn seines kaum begonnenen Kampfes gegen seine ehemaligen Waffengefährten zu fragen? Erwartete er eine Bestätigung seiner Hoffnung, dass er nicht vergebens desertiert war? Dass die Welt ihm auch wirklich zuhören und dementsprechend handeln werde?

Er, Kollmann, konnte ihm diese Bestätigung nicht geben.

„Amnesty International hat in ihrer Geschichte schon einiges erreicht", sagte er ausweichend und versuchte, dem forschenden Blick des anderen standzuhalten. „Ausserdem sind da noch die Vereinten Nationen . . . "

„Ja." Segura nickte, lehnte sich zurück und schaute wieder aus dem Fenster, wie um anzudeuten, dass er die Unterhaltung als beendet betrachte. Pérez, der höchstens ahnen konnte, worum das Gespräch sich gedreht hatte, erhob sich und ging hinaus.

Kollmann fragte sich, ob seine Sitznachbarin ihre Unterhaltung mitbekommen hatte. Falls sie Englisch verstand, liess sie sich jedenfalls nichts anmerken. Das Paar am anderen Fenster hatte sich schon vor geraumer Zeit entfernt und sass vermutlich im Speisewagen. Undeutliche Wortfetzen von leise geführten Gesprächen anderer Reisender waren zu hören. Der Rhythmus des gedämpften, gleichmässig-monotonen Fahrgeräusches hatte sich merklich beschleunigt. Der Zug war in Mannheim etwas länger als fahrplanmässig vorgesehen stehengeblieben, und der Lokomotivführer wollte nun die verlorenen Minuten wieder aufholen.

Als Pérez von der Toilette zurückkam und Kollmann ihn fragend anschaute, schüttelte er den Kopf. „Ich habe niemanden bemerkt, der mir aufgefallen wäre, doch ich bin sicher, dass sie im Zug sind."

Kollmanns Gedanken kehrten zu Seguras Worten zurück. Der Luchadorianer erwartete zuviel vom Kongress, mochten seine Enthüllungen noch so erschreckend sein. Organisationen wie Amnesty International bestanden aus Freiwilligen, die nichts anderes tun konnten, als an Menschen begangenes Unrecht aufzudecken. Was nachher geschah, lag nicht mehr in ihrer Macht. Sie waren nichts weiter als Publikationsorgane. Was sie berichteten, wurde von den einen gleichgültig, von anderen mit Empörung und wieder von anderen mit distanziertem Bedauern zur Kenntnis genommen. Wie würde die Welt auf Segura reagieren? Erwartete der General, dass Regierungen ihre diplomatische Beziehungen zu El Luchador abbrechen und Rüstungslieferanten ihre Waffenlieferungen einstellen würden? Dass eine weltweite Welle aktiven Mitgefühls für das geschundene luchadorianische Volk einsetzen werde? Kollmann dachte an all das, was er selbst schon mit eigenen Augen gesehen hatte: an die meist unschuldigen Opfer von Todesschwadronen, aus politischer Verblendung oder auch aus purem Spass massakriert, an die Millionen Flüchtlinge, aus allen Richtungen fliehend, bloss um wieder in alle Richtungen verstossen zu werden, und an die Kinder, welche in modernen Religionskriegen als Vorhut in die Minenfelder gejagt wurden. Man wusste Bescheid, doch wer versuchte wirklich, etwas dagegen zu tun? Wo war die völkerverbindende Solidarität, von der an Konferenzen immer gesprochen wurde? Stand im ungleichen Duell zwischen Bequemlichkeit und Eigennutz einerseits und Menschlichkeit anderseits der Verlierer nicht meist schon von vornherein fest?

Je länger Kollmann über Antworten auf seine unausgesprochenen Fragen grübelte, desto besser begann er die Unsicherheit des Südamerikaners zu verstehen. Auf einmal schien es ihm auch nicht mehr so wichtig, Seguras Geheimnis als erster zu erfahren. Er selbst hatte ja die letzten zehn Jahre damit verbracht, über Greueltaten zu berichten, die die Menschen sich gegenseitig im Namen eines Gottes, den jeder auf seiner Seite wähnte, oder für Friede, Freiheit und Vaterland antaten. Die Lesermassen Europas waren übersättigt mit Schreckensnachrichten, und es gab – Kollmann sah das mit den nüchternen Augen des Realisten – buchstäblich nichts mehr, was sie erschüttern konnte.

Um neun Uhr erreichten sie Freiburg, den letzten Halt vor Basel. Die Frau neben Kollmann stieg aus, und er konnte sie mit ihrem kleinen Reisekoffer den Bahnsteig entlanggehen sehen, in Richtung Ausgang. Wenige Minuten später befanden sie sich wieder auf offener Strecke.

Der Mann, der plötzlich zwischen den Sitzreihen auftauchte, war ungefähr vierzig, hatte dunkelbraunes Haar und trug einen hellen Regenmantel. Er schien die Sitznumerierung zu studieren, und zeigte schliesslich auf den nunmehr unbesetzten Sitzplatz neben Kollmann. „Ist hier noch frei?“

Der Deutsche nickte, und der Fremde setzte sich, ohne seinen Mantel auszuziehen. Nach einigen Minuten beugte er sich plötzlich etwas vor und sagte: „General Segura . . . “

Drei Köpfe fuhren herum, doch der Mann war offenbar bereits informiert darüber, welcher von ihnen der Richtige war. Er schaute, als er weitersprach, Segura direkt in die Augen.

„Ich bin Hans Marbach von der Basler Polizei." Sein Englisch hatte den für Schweizer typischen breiten Akzent. Er hielt Segura einen Ausweis in einer Plastikhülle entgegen und steckte ihn, als der andere nickte, wieder ein.

„Ich habe Sie nicht so früh erwartet", sagte Segura. Kollmann schaute überrascht vom einen zum anderen.

„Es schien mir eine gute Idee, Ihnen entgegenzukommen", antwortete der Schweizer. „Ich bin in Freiburg zugestiegen und möchte einige Dinge klarstellen, ehe wir in Basel eintreffen. Wir befinden uns zwar noch auf bundesdeutschem Gebiet, wo ich keinerlei Befugnisse habe –"

„Lassen Sie sich durch dieses Detail nicht stören, Mister Marbach", unterbrach ihn Segura. „Schliesslich habe ich Sie um Schutz für mich und meine Reisegefährten gebeten und bin Ihnen zu Dank verpflichtet, dass Sie ihn uns gewähren wollen."

Marbach schaute die andern beiden an. „Mister Kollmann und Mister Pérez, nehme ich an?"

Die Angesprochenen nickten, und der Polizeibeamte wandte sich wieder Segura zu. „Wir haben uns die Angaben, die Sie heute früh am Telefon über Ihre Person gemacht haben, von den Sicherheitsbehörden der Bundesrepublik und von unserer Botschaft in Resistencia bestätigen lassen. Sind Sie seit Ihrem Anruf behelligt worden oder hatten Sie irgendwann das Gefühl, sich in unmittelbarer Gefahr zu befinden?"

„Nein."

„Ihre Begleiter?"

„Auch nicht."

„Sie gaben an, von amerikanischen Staatsangehörigen und von Agenten Ihrer eigenen Regierung verfolgt und überwacht zu werden."

„Ein Amerikaner, der vorgab, im Auftrag seiner Regierung zu sprechen, hat mich in meinem Hotel in Frankfurt kontaktiert, weshalb ich annehme, dass ich auch von jener Seite beobachtet werde."

„Sind Ihnen im Zug Mitreisende aufgefallen, die zu Ihren Verfolgern gehören könnten?"

„Nein. Ich habe mich allerdings die ganze Zeit nicht von meinem Sitzplatz gerührt. Auch mein Landsmann, Mister Pérez, der einmal für kurze Zeit draussen war, hat nichts Auffälliges bemerkt. Doch das will natürlich nichts heissen."

„Haben Sie ausser dem Kongress noch andere Gründe, in die Schweiz zu reisen?" Marbach beobachtete scharf das Gesicht seines Gesprächspartners, der gelassen seinen Blick erwiderte.

„Nein."

„Wie lange gedenken Sie sich in der Schweiz aufzuhalten?"

„Das hängt von der Wirkung meines Berichtes ab."

„Welche Wirkung erwarten Sie?"

„Internationalen Druck auf die Regierung in Resistencia und auch auf die Vereinigten Staaten, damit diese Costa ihre Unterstützung entziehen und so eine Demokratisierung des Landes ermöglichen."

„Was wollen Sie tun, wenn Ihre Erwartungen nicht erfüllt werden?"

Segura zögerte mit der Antwort, und sein Blick schweifte für einige Augenblicke zum Fenster. Sie durchfuhren den Bahnhof einer kleineren Ortschaft. Auf dem Bahnsteig standen Leute, die offenbar auf den Regionalzug warteten.

„Wenn die Wirkung meines Berichtes nicht stark genug ist, um in meinem Land eine Veränderung herbeizuführen", sagte der General dann, „werde ich meine Heimreise wahrscheinlich – hinausschieben müssen. In einem solchen Fall müsste ich mich ernsthaft mit der Frage eines Gesuches um politisches Asyl befassen."

„In der Schweiz?"

„Warum nicht? Ich habe, als ich mich zu diesem Unternehmen entschloss, vorsorglich ein Konto bei einer Schweizer Bank eröffnet. Keine Millionen, doch genug, um Ihrem Land in finanzieller Hinsicht nicht zur Last zu fallen."

„Nach den Informationen unserer Botschaft wird Ihre Flucht in Resistencia offenbar geheimgehalten. Haben Sie dafür eine Erklärung?"

„Die Regierung meines Landes möchte vorläufig natürlich jedes Aufsehen vermeiden. Wie ich Ihnen heute früh am Telefon bereits gesagt habe, hofft sie vermutlich immer noch, mich irgendwie von der Teilnahme am Kongress abhalten zu können. Aus diesem Grund habe ich mich ja auch entschlossen, die Schweizer Behörden um Begleitschutz zu bitten."

„Glauben Sie, dass nach Ihrer Rede die Gefahr für Sie vorüber sein wird?"

„Ein Angriff gegen mich ist nur solange sinnvoll, wie man dadurch die Veröffentlichung meines Berichtes verhindern kann. In dem Moment jedoch, wo ich meine Rede gehalten und die Unterlagen weitergegeben habe, ist das Spiel gelaufen. Es besteht dann vielleicht noch die Möglichkeit eines Racheaktes, doch halte ich dies für wenig wahrscheinlich. Er würde sich letztlich gegen die Urheber selbst richten und meine Aussagen zusätzlich untermauern."

„Lassen Sie uns nun, um Missverständnisse zu vermeiden, Ihre Angaben von heute früh wiederholen: Sie haben sich gestern mit den Organisatoren des Kongresses telefonisch darauf geeinigt, dass Sie Ihre Rede um elf Uhr heute vormittag halten werden. Sie haben ausserdem für sich und

Mister Pérez Zimmer im Europe reserviert, während Mister Kollmann im Alexander absteigen wird."

„Das stimmt", sagte Segura. Natürlich hatte Marbach auch diese Angaben bereits überprüfen lassen.

„Wenn wir richtig informiert sind, befinden sich beide Hotels in unmittelbarer Nähe der Kongresshalle", mischte sich Kollmann ein.

„Etwa fünf Minuten zu Fuss. Dass Sie nicht alle drei Ihre Zimmer in demselben Hotel haben, erschwert uns jedoch unsere Aufgabe. Sie dürfen sich für die Dauer, während der Sie unter unserem Schutz stehen, auf keinen Fall trennen. Ich schlage deshalb vor, dass Sie, Mister Kollmann, sich mit den beiden Herren zum Europe begeben. Bleiben Sie bis zum Zeitpunkt von Mister Seguras Rede immer beisammen. Wir werden auch nachher die Bewachung nicht sofort abbrechen, sondern zuerst nochmals ein Gespräch führen."

Segura nickte, und Marbach fuhr fort: „Dieser Zug hält in Basel zuerst am Badischen Bahnhof, einer deutschen Enklave auf Basler Stadtgebiet, und fährt dann zum Hauptbahnhof auf der anderen Seite der Stadt. Steigen Sie beim ersten Halt aus und passieren Sie den Zoll. Wir werden Sie auf der Schweizer Seite erwarten."

Er stand auf und entfernte sich ohne ein weiteres Wort.

„Ich wusste nicht", sagte Kollmann zu Segura, „dass Sie die Schweizer um Begleitschutz ersucht haben."

„Ich habe mich erst heute früh vor dem Verlassen des Hotels in Frankfurt dazu entschlossen. Es ist zwar kaum wahrscheinlich, dass in der kurzen Zeit bis zu meiner Rede noch etwas Unvorhergesehenes geschehen wird. Da ich mich jedoch für Ihre und Mister Pérez' Sicherheit verantwortlich fühle, wollte ich auf diese zusätzliche Vorsichtsmassnahme nicht verzichten, mag sie sich auch als völlig überflüssig erweisen."

Kollmann schaute auf seine Uhr. Es war halb neun. In drei Stunden würde Segura zur Welt gesprochen haben.

Bei der Passkontrolle im Zollkorridor des Badischen Bahnhofs bildete sich ein Stau von Reisenden, die hier den Zug verlassen hatten. Während sich Segura in der Menschenschlange schrittweise vorwärtsbewegte, glaubte er einen Augenblick lang durch die Glastür, die zum Schweizer Sektor führte, Breitener zu sehen, den Mann, von dem er am Frankfurter Flughafen einvernommen worden war. Die deutschen Sicherheitsbeamten, welche ihn bis hierher begleitet hatten, „übergaben" ihn nun ihren Schweizer Kollegen. Das konnte nur bedeuten, dass die Basler Fremdenpolizei über seine bevorstehende Einreise in die Schweiz bereits informiert gewesen war, als er aus Frankfurt angerufen hatte.

Die Reihe war an ihm, und als er nach der Zollabfertigung zusammen mit Pérez und Kollmann durch die Glastür trat, war Breitner verschwunden. Dafür erwartete sie Marbach mit zwei uniformierten Polizisten, die er ihnen mit den Namen Koch und Baumeler vorstellte.

„Ihre Begleiter für die nächsten zwei Stunden", sagte der Detektiv. „Ich habe zwei Wagen draussen, die Sie zum Hotel fahren werden. Warten Sie dort in Mister Seguras Zimmer, bis es Zeit wird, zur Kongresshalle zu gehen. Trennen Sie sich unter keinen Umständen!"

Die sechsköpfige Gruppe begab sich ins Freie. Auf dem Parkplatz beim Haupteingang standen zwei weisse Streifenwagen, in denen je ein uniformierter Fahrer sass. Alle ausser Marbach stiegen ein. Als sie abgefahren waren, ging er zu seinem eigenen, in einiger Entfernung parkierten Dienstwagen. Bis nach Seguras Rede gab es nichts mehr zu tun. Für Marbach, der immer wieder mal uniformierte oder zivile Polizeieskorten für ausländische Persönlichkeiten organisieren musste, war das Ganze eine Routineangelegenheit. In der Schweiz ereigneten sich keine Attentate.

Der Zug hatte den Badischen Bahnhof inzwischen wieder verlassen. Er zog eine weite Schlaufe um den Stadtkern und fuhr wenig später in den Basler Hauptbahnhof ein. Unter den Reisenden, die hier ausstiegen, befand sich Robert Henderson, der bis hierher weitergefahren war, um von Segura nicht gesehen zu werden. Er stieg in eines der wartenden Taxis und nannte als Fahrziel das Hotel, in dem auch Kollmann ein Zimmer reserviert hatte: das Alexander. Die Fahrt dauerte ungefähr zehn Minuten. Henderson zahlte, stieg aus und begab sich in die kleine Empfangshalle.

„Lipmann", sagte er. „Ich habe ein Zimmer reservieren lassen." Der Angestellte schaute nach und schob ihm den Block mit den Anmeldescheinen zu. Als Henderson sich eingetragen hatte, nahm der Portier einen Schlüssel aus einem der Fächer an der Wand hinter ihm und legte ihn dem Gast hin. „Zimmer 311, bitte sehr."

In seinem Zimmer im dritten Stock stellte Henderson seine Reisetasche auf die Kofferablage, zog den Mantel aus, legte ihn aufs Bett und setzte sich in einen der beiden Sessel beim Rauchtisch. Er wartete auf einen Telefonanruf.

Der Anruf kam um zehn Uhr zehn.

„Der erste Teil der Sendung ist abgeliefert", meldete Oskar. Henderson hatte ihm über ihre Frankfurter Nummer den Namen seines Hotels mitgeteilt. Ein Risiko, das nicht zu umgehen gewesen war.

„Ich rufe aus dem Europe an", fuhr der Deutsche fort. „Unsere Geschäftsfreunde sind vor zwanzig Minuten eingetroffen. Zwei von der Konkurrenz begleiten sie."

Konkurrenz war die Bezeichnung für Polizei. Henderson unterdrückte einen Fluch. „Wo sind unsere Geschäftsfreunde jetzt?"

„In ihren Zimmern."
„Gut. Warten Sie auf mich. Ich bin in fünf Minuten bei Ihnen."
„Im Restaurant neben dem Haupteingang."
„In Ordnung."
Nachdem Henderson aufgelegt hatte, holte er einen kleinen Stadtplan hervor, von der Sorte, wie sie Reiseagenturen kostenlos an ihre Kunden abgeben. Er hatte den Standort des Alexander und des Europe darauf eingetragen. Nun vergewisserte er sich nochmals der einzuschlagenden Richtung, nahm seinen Mantel vom Bett und verliess das Hotel.

Nach knapp einer Minute kam er an eine grosse Kreuzung, zu derer linken Seite sich die Kongress- und Messehallen befanden. Die Schweizerfahne und das Banner mit dem Emblem von Amnesty International schmückten den Eingang eines der Gebäude und wiesen den Besuchern den Weg. An einem mit AI-Plakaten behangenen Stand auf dem weitläufigen Platz davor verteilten freiwillige Helfer Informationsmaterial über die Arbeit der Gefangenenhilfsorganisation an Kongressbesucher und Passanten. Henderson bog nach rechts in die Clarastrasse ein, wo in ungefähr zweihundert Meter Entfernung das Europe stand. Seit dem Verlassen seines Hotels dachte er an die zwei Polizeibeamten, von denen Oskar gesprochen hatte. Nicht, dass sie für Oskar und dessen Männer ein besonderes Problem darstellten; gerade das war es, was Henderson beschäftigte. Wie konnte die Operation durchgeführt werden, ohne dass die beiden Polizisten ebenfalls geopfert werden mussten?

In seiner langjährigen Tätigkeit im Dienst des Vaterlandes hatte Henderson oft Dinge tun müssen, die ihre einzige Rechtfertigung im Wort Staatsräson fanden. In seinen Entscheidungen durfte er sich nie von Einzelschicksalen beeinflussen lassen. Das Prestige, und mit ihm die moralische

Glaubwürdigkeit seines Landes, der grössten und freiesten Nation der Welt, stand auf dem Spiel. Dabei durfte nicht wegen ein paar Härtefällen vom einmal vorgezeichneten Kurs abgewichen werden. Schon immer hatten unschuldige Männer, Frauen und Kinder eines vorrangigen weltpolitischen Kalküls wegen leiden müssen. Sie waren die Ahnungslosen, Unbeteiligten, welche Interessen auf höherer Ebene geopfert werden mussten. Henderson hatte es sich angewöhnt, in der Modalform „müssen" zu denken. Er liebte diesen Teil seiner Tätigkeit nicht, wie ein Berufssoldat den Ernstfall nicht herbeiwünscht, sich ihm jedoch stellt, wenn es keine Alternative gibt. In jedem auch noch so kleinen Krieg starben Unschuldige, und auch die zwei Polizisten riskierten, ihr Leben in einem verdeckt geführten Krieg zu verlieren, mit dem sie nichts zu schaffen hatten. Kollmann und Pérez mussten zum Schweigen gebracht werden, weil nicht sicher war, wieviel sie wussten. Für Segura war die Sache ohnehin gelaufen. Hätte er Hendersons Vorschlag im Frankfurter Savoy angenommen, so wäre die ganze Operation nicht notwendig geworden. Die Verantwortung lag bei ihm. Er war schuld, wenn andere sterben mussten.

Es war eine bemerkenswerte Eigenschaft Hendersons, in jeder Angelegenheit den passenden Schuldigen zu finden. Sich selbst sah er als Bürger einer Nation, welche Kraft ihrer geistigen Grösse und militärischen Stärke vom Schicksal zum Führer der westlichen Welt ausersehen worden war, und welche durch die Uneinsichtigkeit und den Fanatismus anderer oft zu einer Handlungsweise gezwungen wurde, die sich trotz ihrer scheinbaren Ruchlosigkeit dank des heiligen Zwecks, dem sie diente – der Freiheit –, rechtfertigen liess. Eine Einstellung, ohne die es ihm unmöglich gewesen wäre, seinen Beruf auszuüben.

Vor dem Europe blieb er kurz stehen und schaute sich

um. Die Clarastrasse gehört zum Einkaufs- und Geschäftszentrum Kleinbasels, wie der Stadtteil diesseits des Rheins genannt wird. Tagsüber herrscht hier reger Autoverkehr, und die Strassenbahnzüge folgen sich in kurzen zeitlichen Abständen. Oskar hatte Henderson am Vorabend via Frankfurter Nummer über einige Besonderheiten der näheren Umgebung, die er ausgekundschaftet hatte, aufgeklärt. So enthielt das etwas von der Strasse zurückversetzte Gebäude schräg gegenüber dem Europe eine stark besetzte Polizeiwache. Als ob dies noch nicht genügte, befand sich auf der Rückseite des betreffenden Blocks, etwa hundert Meter Luftlinie von Hendersons Standort entfernt und durch eine Nebenstrasse in knapp einer Minute zu erreichen, eine Polizeikaserne.

Henderson hatte klar geantwortet: Vorgehen wie geplant. Es war zu spät, um noch etwas zu ändern.

Das Restaurant war nur schwach besetzt. Oskar sass an einem Tisch und trank Kaffee.

„Wir haben uns auf eine lange Wartezeit eingerichtet", sagte er, nachdem Henderson sich zu ihm gesetzt hatte.

„Das wird nicht notwendig sein", antwortete der Amerikaner. Sie waren übereingekommen, sich nicht beim Organisationskomitee des Kongresses nach dem Zeitpunkt von Seguras Rede zu erkundigen, da dies leicht Misstrauen hätte hervorrufen können. Henderson vermutete, dass die Organisatoren von Segura diesbezüglich vorgewarnt worden waren.

Die Tische unmittelbar neben ihnen waren unbesetzt, und sie führten ihre Unterhaltung leise.

„Ich bin überzeugt, dass er noch heute am Kongress sprechen wird", fuhr der Amerikaner fort. „Es liegt schliesslich in seinem Interesse, die Sache so rasch wie möglich hinter sich zu bringen. Ich nehme an, die Kongressleitung wird ihm entgegenkommen, selbst wenn sie nicht weiss, worum es sich bei seinem Bericht handelt. Allein die Tatsache, dass Segura ein Deserteur im Generalsrang ist, sollte genügen, um ihm höchste Priorität einzuräumen."

„Wir hatten gestern den ganzen Tag Zeit, die Gegend hier zu studieren. Ursprünglich hatten wir damit gerechnet, dass unsere Freunde zu Fuss von hier zur Kongresshalle gehen werden. Als wir jedoch sahen, dass sie im Streifenwagen ins Hotel gebracht wurden, mussten wir unsere Pläne ändern für den Fall, dass sie im Polizeiwagen hinfahren sollten."

Henderson bestellte bei der Kellnerin einen Tomatensaft. Als sie ausser Hörweite war, fragte er: „Weshalb erledigen Sie die Sache nicht gleich hier im Hotel?"

„Zu gefährlich. Wir kennen uns im Gebäude nicht aus. Das Ganze würde viel zu lange dauern und es irgend jemandem ermöglichen, die nahe Polizeiwache rechtzeitig zu alarmieren. Das gäbe eine Riesensauerei. Wir ziehen das Ding im Freien ab, wo wir das Überraschungsmoment für uns haben und auf alle Seiten wegtauchen können."

Henderson nickte. „Ich glaube nicht, dass sie fahren werden. Bis zur Kongresshalle sind es nicht einmal fünf Minuten zu Fuss, dazu kommt, dass Segura sich in Sicherheit wiegt. Zwar kann er den Polizeischutz nur selber angefordert haben, doch betrachte ich das als eine rein psychologische Massnahme. Wenn er sich ernsthaft gefährdet glaubte, wäre er allein gereist, um niemand anders derselben Gefahr auszusetzen. Ich bin sicher, dass er glaubt gewonnen zu haben, und dass er deshalb zu Fuss gehen wird."

Während ihres Gesprächs beobachtete Oskar ständig die gläserne Verbindungstür zur Hotelhalle. Er war sprungbereit und wartete nur auf das Zeichen seines in der Halle postierten Mannes.

„Versuchen Sie, die Polizisten nicht zu töten", sagte Henderson. Der Deutsche, der gerade einen Schluck Kaffee genommen hatte, stellte seine Tasse ab und schaute den Geheimagenten entschlossen an. Als er sprach, hatte seine Stimme den Ton des Endgültigen, Unabänderlichen. „Hören Sie, ich gehe keine unnötigen Risiken ein! Die Bullen sind schliesslich bewaffnet."

Henderson antwortete nicht; er wusste, dass Oskar recht hatte. Die Kellnerin brachte seine Bestellung, und er zahlte. Daraufhin erhob er sich wortlos und verliess das Lokal, ohne das Getränk angerührt zu haben.

Draussen ging er denselben Weg zurück, den er gekommen war, den Weg, den auch Segura gehen würde. Irgendwo warteten Oskars Männer, doch er entdeckte nichts, was auf ihre Gegenwart hinwies. Nach wenigen Minuten erreichte er wieder den Riehenring, die breite Querstrasse, an der das Alexander steht und durch die ebenfalls eine Strassenbahnlinie führt. Er liess prüfend seinen Blick über die Kreuzung mit den teils weit zurückversetzten Gebäuden schweifen. Dann setzte er sich ohne Eile in Richtung seines Hotels wieder in Bewegung. Für ihn gab es hier nichts mehr zu tun.

XIV

Sie sassen in Seguras Zimmer, der General und Pérez in Klubsesseln, Kollmann auf dem Bettrand, und tranken Kaffee, den sie sich hatten heraufbringen lassen. Koch und Baumeler, die zwei Polizisten, hatten sich im Korridor aufgestellt, der eine vor der Zimmertür, der andere etwas weiter vorn, zwischen Treppe und Aufzug. Es war zehn Uhr fünfzehn. In einer halben Stunde wurde Segura am Haupteingang der Kongresshalle erwartet.

Er trank den letzten Schluck Kaffee aus seiner Tasse und goss sich aus der Kanne, die vor ihm auf dem niedrigen Klubtisch stand, noch etwas nach. Er tat dies mit einer Bedächtigkeit, als gebe es für ihn im Augenblick nichts Wichtigeres auf der Welt als Kaffee trinken.

In Seguras Seele war Ruhe eingekehrt. Hatten ihn noch vor Stunden Zweifel am Sinn seines Handelns geplagt, so waren sie inzwischen absolutem Gleichmut gewichen. So kurz vor seiner Rede, vor dem Augenblick, für den allein er die letzten Monate noch gelebt hatte, wollte er sich nicht mehr über das Nachher beunruhigen. Er hatte diesen Weg freiwillig gewählt und war sich über die möglichen Konsequenzen von Anfang an im klaren gewesen. Er würde die Aufgabe, die er sich selbst gestellt hatte, zu Ende führen. Was danach kam, hing ohnehin nicht mehr von ihm ab. Er empfand tiefe Dankbarkeit gegenüber Pérez. Der aus seiner Heimat Vertriebene verkörperte für ihn die Gesamtheit der Verfolgten El Luchadors, und dadurch, dass Pérez sich ihm angeschlossen hatte, ihm dadurch sein Vertrauen und seine neugewonnene Hoffnung ausdrückend, fühlte Segura sich mit seinem Volk ausgesöhnt.

Er nahm einen Schluck Kaffee, stellte die Tasse ab und lehnte sich in seinem Sessel zurück.

„Ich wünschte, Padre Ignacio wäre hier", sagte er leise, wie im Selbstgespräch, auf spanisch.

Pérez schaute auf. „Weshalb?"

„Wenn man gebeichtet hat, erteilt einem der Beichtvater die Absolution. Sie bedeutet nicht Vergessen, aber Vergebung. Padre Ignacio hat sie mir nicht erteilt."

„Warum nicht?"

Der General tat einen tiefen Atemzug. Er dachte an seinen letzten nächtlichen Besuch beim Padre, als er mit dem Schweizer zusammengetroffen war. „Ich weiss nicht. Er war wohl einfach nicht dazu in der Lage. Vielleicht schien es ihm eine zu einfache Lösung. Während unserer letzten Zusammenkunft vor meinem Abflug hätte ich ihn beinah darum gebeten. Mir lag sehr viel daran."

„Warum haben Sie es nicht getan?"

„Es hätte an seiner inneren Haltung mir gegenüber nichts geändert. Ich brachte es nicht über mich, ihn um etwas zu bitten, das er mir nicht freiwillig, von sich aus, zu geben bereit war."

„Seine erste Begegnung mit Ihnen in der Kirche, als Sie ihm alles erzählten, hatte ihn offenbar sehr mitgenommen, und später hat er es wohl ganz einfach vergessen ..."

Segura nickte nachdenklich mit dem Kopf. „Ja, kann sein, dass er einfach nicht mehr daran gedacht hat." Er wünschte, es wäre so. Vielleicht hatte Padre Ignacio tatsächlich vergessen, ihm die Absolution zu erteilen, ihm zu verzeihen. Segura hoffte, den alten Pfarrer wiederzusehen.

Kollmann hatte zugehört, doch seine Spanischkenntnisse waren noch zu wenig fortgeschritten, als dass er die Unterhaltung hätte verstehen können. Er glaubte jedoch zu spüren, dass das kurze Gespräch der beiden Luchadorianer sich um etwas sehr Persönliches drehte, das nur sie beide etwas anging.

Es wurde nicht mehr gesprochen. Hin und wieder

schaute der eine oder andere auf seine Armbanduhr. Jeder hing seinen eigenen Gedanken nach. Alle drei Männer waren, was die kommende Stunde betraf, von bestimmten Hoffnungen erfüllt, doch ihre Erwartungen waren im selben Masse ungleich, wie sich ihre persönlichen Hintergründe voneinander unterschieden.

Kurz nach halb elf kettete Segura sich seinen Diplomatenkoffer an das Handgelenk.

„Es ist soweit", sagte er. Sie erhoben sich und verliessen das Zimmer. Kollmann nahm seine Reisetasche mit. Er wollte den ganzen Tag am Kongress verbringen und anschliessend direkt ins Alexander gehen. Seine Besorgnis um die eigene Sicherheit und die leichte Unruhe, die er im Zug plötzlich verspürt hatte, waren von ihm gewichen. Er konnte sich nicht vorstellen, dass ihnen jetzt noch Gefahr drohte. Bald würde Segura am Rednerpult stehen und von niemandem mehr aufzuhalten sein.

Zusammen mit den beiden Polizisten betraten sie den Aufzug. Am Empfangspult im Erdgeschoss gab Segura seinen Zimmerschlüssel ab. Aus einem Sessel in der Nähe des Ausgangs erhob sich ein Mann, schlenderte durch die breite automatische Tür nach draussen, blieb auf dem Gehsteig kurz stehen und zündete sich eine Zigarette an. Es war ein Signal. Anschliessend entfernte er sich in die dem Kongresszentrum entgegengesetzte Richtung.

Sie traten auf die belebte Strasse hinaus und wandten sich nach links, ein Polizist neben Segura und Pérez, und hinter diesen Kollmann zusammen mit dem zweiten Polizisten. Hin und wieder trafen sie neugierige Passantenblicke. Sie erreichten die Kreuzung vor den Messehallen. Der Riehenring wird auf dieser Seite durch eine baumbewachsene Fussgängerinsel, die sich wie eine lange Zunge von der Kreuzung nach links zwei Häuserblocks weit – auch noch am Hotel Alexander vorbei – bis zur übernächsten Querstrasse zieht, in eine schmale und eine breite Fahrbahn aufgeteilt. Der Verkehr wickelt sich jedoch zur Hauptsache auf dem breiteren Strassenteil ab.

Sie überquerten die schmale Fahrbahn und blieben auf der anderen Seite der Fussgängerinsel stehen, um einen günstigen Moment zur Überquerung der breiteren Strassenhälfte abzuwarten. Mit ihnen warteten zwei Frauen mit Einkaufstaschen und ein uniformierter Briefträger. Von hinten näherten sich drei jüngere Männer, die Hände in ihren Windjacken. Der eine Polizist schaute sich um, mehr gewohnheitsmässig, nicht weil er sich und die Männer, die er schützen sollte, in Gefahr wähnte.

Da entstand im Verkehr eine Lücke, und sie betraten den Zebrastreifen, während von der anderen Seite ebenfalls Leute die Strasse überquerten. Von rechts bog eine Strassenbahn, welche die Haltestelle vor den Kongresshallen verlassen hatte, langsam in den Riehenring ein. Hinter einem von links kommenden Lieferwagen, der stehen geblieben war, um die Fussgänger vorbeizulassen, rollten langsam zwei grosse Limousinen heran.

Der Untersuchungsbehörde gelang es später zwar, den Vorfall zu rekonstruiren, doch war es unmöglich, eine einigermassen nützliche Personenbeschreibung der Beteiligten zu erhalten. Dazu ging alles viel zu schnell. Die beiden Limousinen schossen hinter dem Lieferwagen hervor und rasten auf die Fussgänger zu. Die eine bremste brüsk vor den Füssen Seguras, der mit Polizeimann Baumeler zusammen in diesem Augenblick die Gruppe anführte. Die andere machte einen Schwenker und bremste mit quietschenden Reifen hinter der Gruppe, um ihr den Rückzug abzuschneiden. Aus den offenen Wagenfenstern flogen Petarden, und Sekunden später waren alle von einem Vorhang dicken graubraunen Rauches umgeben, der sie von der Umwelt abschnitt.

Drei Männer sprangen aus den beiden Autos, deren Motoren liefen, und stürzten sich auf Segura. Die beiden Polizisten hatten noch vor dem Platzen der Rauchbomben nach ihren Dienstpistolen gegriffen, doch die drei Männer in Windjacken, die ihnen seit dem Verlassen des Hotels gefolgt waren, schossen sie von hinten nieder. Kollmann drehte sich um, sah durch den sich nach allen Seiten ausbreitenden Rauchschleier eine Pistole, ein Gesicht, wollte sich auf den Mann stürzen, doch mitten im Sprung brach er, von zwei Kugeln getroffen, zusammen. Den Aufprall auf das Strassenpflaster spürte er nicht mehr. Segura wurde von den drei Typen, die über ihn hergefallen waren, mit brutaler Härte in das Auto vor ihm gestossen. Pérez wollte ihm zu Hilfe eilen, doch eine Kugel traf ihn von hinten in den Kopf. Ein Schnellbremsmanöver des Wagenführers hatte die Strassenbahn jenseits des Nebelrings zum Stehen gebracht, und die dabei automatisch ausgelöste Signalklingel schrillte unaufhörlich. Eine Frau schrie markerschütternd. Polizeimann Koch war tot, sein Kollege Baumeler schwer verletzt. Er lag auf der Seite und wunderte sich, dass er keine Schmerzen verspürte. Aus halb geöffneten Augen sah er, seltsam verzerrt, sich hektisch bewegende Gestalten. Mit letzter Kraft versuchte er, seinen Arm zu bewegen und mit der Hand das Pistolenhalfter an seiner Seite zu erreichen. Noch ehe er jedoch die Bewegung halb ausgeführt hatte, beugte sich ein Mann über ihn und tötete ihn mit einem Kopfschuss.

Sie hatten Segura im Fonds des Wagens zwischen sich eingekeilt und drückten ihm von zwei Seiten eine Pistole von unten gegen die Gurgel, während sie bereits seine Taschen durchsuchten. Oskar hatte sich neben den Fahrer geschwungen, die übrigen Männer sprangen in den zweiten Wagen. Sofort fuhren beide Autos los und verschwanden, laut und anhaltend hupend, in der Rauchwand vor ihnen.

Als nach einigen Metern die Luft wieder klar wurde, gaben die Fahrer Gas. Die Wagen preschten hintereinander über die Kreuzung, vorbei an der stehenden Strassenbahn, zwischen Autos hindurch, deren Fahrer beim Anblick des Rauches und beim Ertönen der Schüsse und Schreie angehalten oder das Tempo stark gedrosselt hatten. Jenseits der Kreuzung flogen nochmals Rauchbomben auf die Strasse und bildeten sofort eine mehrere Meter dicke Nebelwand, welche jeglichen Verkehr zum Stillstand brachte.

Die eine der beiden Frauen mit den Einkaufstaschen schrie noch immer, die andere rührte sich nicht, sondern starrte in stummem Schock auf den leblosen Körper Kollmanns zu ihren Füssen. Der Briefträger beugte sich, von einem Hustenanfall geschüttelt wegen des Rauches, der ihm in die Lungen drang, zu einem der beiden toten Polizisten nieder. Der Fahrer des Lieferwagens stieg aus, und von allen Seiten kamen Leute herbeigeeilt. Der Überfall hatte keine dreissig Sekunden gedauert.

Nach ungefähr zweihundert Meter kamen die beiden Fluchtwagen erneut an eine Kreuzung. Der erste drehte nach links ab, während der zweite, mit Segura und Oskar, die Rechtsabbiegung nahm, der Strassenbahnlinie folgend. Gleich danach bog er in eine schmale Seitenstrasse ein. Der Fahrer steuerte den Wagen an einigen am Strassenrand parkierten Autos vorbei und lenkte ihn durch eine Einfahrt in der rechten Häuserfront auf einen kleinen Hinterhof mit einer Reihe privater Einstellgaragen für die Anwohner.

Segura sass bewegungslos zwischen den beiden Männern, er fühlte den kalten Stahl ihrer Schusswaffen und hielt den Diplomatenkoffer auf seinen Knien mit beiden Händen fest, als könne er ihn dadurch noch vor ihrem Zugriff schützen. Doch sie hatten bereits während der Fahrt seine Schlüssel gefunden und die Kette vom Handgriff gelöst. Er wusste, dass alles vorbei war. In der Ferne heulten Polizeisirenen. Während der letzten Sekunden seines Lebens beherrschte ihn nur noch ein einziger Gedanke. Er schaute Oskar an, der sich nach einem raschen Blick über den Hinterhof zu ihm umgedreht hatte und nun ebenfalls eine Pistole auf ihn richtete.

„Die Kopie . . . ?" fragte er.

„Wir haben sie", antwortete Oskar und schoss ihm ins Herz.

Der Fahrer hatte inzwischen vier Herrenjacketts unter seinem Sitz hervorgeholt, die sie nun rasch mit ihren hochgeschlossenen Windjacken vertauschten. Hose, Hemd und Krawatte waren bereits auf das neue Oberteil abgestimmt. Zwei Männer trugen nun eine marineblaue Blaskapellen-Uniform mit von der Schulter hängender weisser Kordel. Aus dem Kofferraum des Wagens holten sie noch die dazu passenden Schildmützen und zwei Instrumentenköfferchen, von denen das grössere eine Trompete und das kleinere eine Klarinette enthielt. Oskar und der Fahrer trugen elegante Strassenanzüge, in hellem Grau mit Nadelstreifen der eine, unibeige der andere.

Neunundvierzig Sekunden nachdem der Wagen in den Hinterhof eingefahren war, eilten die vier Männer durch die Einfahrt auf die Strasse zurück, wo sie sich trennten. Die beiden „Musiker" wandten sich nach links, von wo sie alle kurz vorher gekommen waren. Als sie um die nächste Strassenecke bogen, raste ein Polizeiwagen an ihnen vorbei. Sie schauten ihm nach, zündeten sich Zigaretten an und setzten ihren Weg fort. Oskar, der Seguras Aktenkoffer bei sich trug, und der Fahrer hatten die entgegengesetzte Richtung eingeschlagen und bogen nach etwa hundertfünfzig Metern ebenfalls ab. Sie gingen zielstrebig, jedoch ohne zu hasten, und unterhielten sich dabei angeregt. Ihre Nerven waren zum Zerreissen gespannt, doch wer sie sah, musste sie für Geschäftsleute halten, Vertreter vielleicht, welche sich über Marktprobleme oder über die neueste Werbekampagne eines Konkurrenten unterhielten. Sie benötigten zehn Minuten; solange durfte der Wagen mit Seguras Leiche nicht entdeckt werden.

Nach fünf Minuten erreichten sie den Wettsteinplatz, von welchem man mit der Strassenbahn über die gleichnamige Rheinbrücke und am Kunstmuseum vorbei zum Hauptbahnhof gelangt. Am Automaten bei der Haltestelle lösten sie zwei Fahrscheine, und nach weiteren drei Minuten kam auch schon ein Tramzug. Sie überquerten den Rhein, und bei der dritten Haltestelle stieg Oskars Begleiter aus. Oskar selbst fuhr weiter bis zum Hauptbahnhof und dem Hotel Schweizerhof.

Alvarez öffnete sogleich, als er klopfte. Oskar trat ein und legte den Aktenkoffer auf den Tisch im Salon. Alvarez verschloss die Tür, ging zum Tisch und legte eine Hand auf den Koffer.

„Alles gut gegangen?“ fragte er auf englisch.

„Natürlich“, antwortete Oskar und legte den Ring mit den Schlüsseln neben den Koffer.

„Segura?“

„Tot.“

„Pérez?“

„Tot.“

„Da war doch noch ein deutscher Journalist ...“

„Tot.“

Alvarez betrachtete zufrieden das schmale Köfferchen und griff nach den Schlüsseln.

„Kann ich mal Ihre Toilette benutzen?“ fragte Oskar.

„Bitte.“

Der Deutsche verschwand. Als er zurückkam, lag der Aktenkoffer auf dem Teppich und sein Inhalt, ein Schnellhefter mit einem Bündel beschriebener Blätter und Fotografien, auf dem Tisch. Alvarez sass am Tisch und las in den Papieren. Oskar blieb in der Mitte des Raumes stehen und zündete sich eine Zigarette an.

„Zufrieden?“ fragte er.

Der andere nickte. „Das ist ohne Zweifel das Original. Sie haben gute Arbeit geleistet.“

Er erhob sich und geleitete Oskar zur Tür. Als er aufschloss, sagte er „Adiòs“, machte jedoch keine Anstalten, ihm die Hand zu geben. Oskar trat auf den Korridor hinaus. Er hörte, wie hinter ihm der Schlüssel gedreht wurde.

Alvarez ging zum Tisch zurück und las noch etwa zehn Minuten in den Papieren. Dann rief er das Hotel Alexander an.

„Ich möchte Herrn Lipmann sprechen.“

Er wurde verbunden.

„Lipmann“, meldete sich Henderson. Er hatte auf den Anruf gewartet.

„Ihr Bote hat die Verträge abgeliefert“, sagte Alvarez. „Das Geschäft ist perfekt.“

„Gut.“

Alvarez setzte sich nochmals an den Tisch und schaute nachdenklich auf Seguras Bericht hinab. Die Erfahrung mit Justizminister Irribara, der sich als undisziplinierter Schwätzer entpuppt hatte, rief nach Konsequenzen. *Nueva Vida* befand sich mitten in einer Wachstumsphase: In den Bergen, zweihundert Kilometer von der Hauptstadt entfernt, stand Station Nummer 3, als Militärklinik getarnt, kurz vor ihrer Vollendung. Dies bedeutete gezwungenermassen mehr Mitwisser und somit ein erhöhtes Sicherheitsrisiko. Um so mehr galt es, den Kreis der Eingeweihten sorgfältig auf weitere Schwachstellen zu überprüfen und diese zu eliminieren. Stationen 1 und 2 in Resistencia mussten natürlich für eine Weile stillgelegt werden, um die Forderung Washingtons nach einer Auflösung der Organisation wenigstens zum Schein zu erfüllen. Das war jedoch kein wirkliches Problem, höchstens eine Unannehmlichkeit, wie sie ein Geschäftsunterbruch und die damit verbundene Umsatzeinbusse eben darstellten. In einigen Wochen würden sich die Spannungen zwischen Resistencia und Washington gelegt haben, und der Betrieb konnte wieder aufgenommen werden.

Alvarez löste die Blätter und Fotos aus dem Plastikhefter, erhob sich und trug das Bündel ins Badezimmer. Mit der freien Hand holte er sein Feuerzeug hervor.

Hendersons Zimmer lag auf der Rückseite des Hotels, so dass trotz der kurzen Distanz bis zur Kreuzung der Lärm der Schüsse und Schreie nicht bis zu ihm durchgedrungen war. Erst das nervenzerreissende Heulen der Polizei- und Krankenwagensirenen hatte ihm angezeigt, dass *es* geschehen sein musste. Und nun war die bestätigende Nachricht von Alvarez eingetroffen. Gleich nach dessen Anruf gab Henderson telefonisch ein Codewort an sein Büro in Frankfurt durch. Die Nachricht bedeutete, dass der Anschluss, den er für die Verständigung mit Oskar benützt hatte, unverzüglich aufzuheben sei. In den nächsten Tagen würde an einem anderen Standort eine neue Nummer eingerichtet werden für den Fall, dass wieder einmal eine Aktion notwendig sein sollte, bei welcher der Auftraggeber anonym bleiben musste. Henderson begab sich ins Badezimmer und wusch sich das Gesicht mit kaltem Wasser. Jetzt, da sein Auftrag ausgeführt war, fühlte Henderson sich auf merkwürdige Weise erschöpft und ausgelaugt.

„Es musste sein!" flüsterte er, als versuche er das bleiche Gesicht zu überzeugen, dass ihn aus dem Spiegel anstarrte. Seine Hände zitterten, als er sich abtrocknete. Er ging zurück ins Zimmer und zog die Vorhänge. Dann legte er sich aufs Bett und schloss die Augen.

„Es musste sein . . . !“ wiederholten seine Lippen tonlos.

Vom Hotel Schweizerhof begab sich Oskar zum nahen, an das Bahnhofgebäude angebaute Parkhaus, wo er am frühen Morgen seinen BMW eingestellt hatte. Die Grenzposten waren zweifellos längst alarmiert und die Kontrollen an den Bahnhöfen und am Flughafen verschärft worden. Oskar sorgte sich nicht sonderlich deswegen. Die Polizei wusste nicht, wo und wen sie suchen sollte. Von seinen Männern gab es keine Beschreibung, da niemand ihre Gesichter lange genug gesehen hatte, um sich an sie erinnern zu können. Die Wache bei den gefangenen Frauen erhielt in diesen Minuten via Funk das Zeichen zum abhauen. Innert weniger Stunden würden alle ausser Landes sein. Für disziplinierte Profis gab es immer Möglichkeiten, eine Grenze unbehelligt zu passieren. Oskars Leute waren die Besten ihrer Branche. Nach einer Operation wie die, welche sie heute zu Ende geführt hatten, warfen sie weg, was ihnen bei einer Kontrolle zum Verhängnis werden konnte: Schusswaffen, Messer, Handschellen, Funkgeräte, Stricke, Handschuhe, einfach alles. Es spielte dabei keine Rolle, wie teuer einige der Ausrüstungsgegenstände gewesen waren; für jeden Auftrag gab es neues Werkzeug. Die beiden beim Überfall eingesetzten Wagen wurden ebenfalls zurückgelassen, doch das würde den Fahndern nicht weiterhelfen. Die Fahrzeuge waren so verändert worden, dass sich ihre Herkunft nicht mehr ermitteln liess.

Einzig Lambert, der am Vorabend genügend Zeit gehabt hatte, sich die Gesichter seiner nächtlichen Besucher einzuprägen, stellte ein Restrisiko für sie dar. Wohl nicht jetzt, da er zu Hause auf Oskars Anruf wartete, um den Ort zu erfahren, wo Frau und Tochter gefesselt und verlassen ihrer

Befreiung harrten. Später jedoch konnte er noch gefährlich werden. Oskar hatte eindringlich mit ihm darüber gesprochen, spät in der Nacht, nach Widmers Tod. Lambert wusste nun, dass er der Polizei nie eine Beschreibung der beiden geben durfte, wollte er nicht eines Tages Beatrice und Corinne mit von Kugeln durchsiebten Körpern vorfinden. Oskar war sicher, dass der Bankmann die Drohung ernstnehmen würde.

Bei seinem Wagen angelangt, entnahm er dem Handschuhfach eine Plastiktüte und schaute sich um. Am anderen Ende der Halle stieg jemand in ein Auto, sonst war niemand da. Rasch zog Oskar seine Pistole aus der linken Innentasche seines Anzuges, rieb sie mit seinem Taschentuch von Fingerabdrücken frei und steckte sie in die Tüte, mit der er anschliessend zu einem Müllcontainer ging, der in einiger Entfernung an der Wand stand. Es war einer jener fahrbaren Behälter, die hinausgerollt und mittels Hebearm des Müllabfuhrwagens direkt in diesen entleert wurden. Oskar hob den Deckel des Containers und warf den Beutel hinein.

Eine Viertelstunde später erreichte er die Autobahn und blieb kurz vor der deutschen Grenze in einem durch Polizeisperren verursachten Stau stecken. Es wimmelte von teils mit Maschinenpistolen bewaffneten Uniformierten. Oskar wartete gelassen in der langen Kolonne, welche sich nur schleppend vorwärtsbewegte, bis die Reihe an ihm war. Er musste aussteigen und Pass, Führerschein und Wagenpapiere einem Polizeigefreiten übergeben, während ein zweiter Polizist das Wageninnere einer peinlich genauen Prüfung unterzog, ohne allerdings mehr zu finden als Musikkassetten, Hirschleder, Sonnenbrille, eine halbleere Schachtel Papiertaschentücher, und derlei mehr. Auf dem vorderen Beifahrersitz lagen ein Plastiksack mit dem Werbeaufdruck eines Mailänder Kaufhauses und eine angebrochene Packung *Baci Perugina*, ein italienisches Konfekt, mit der Preisangabe in Lire.

Der Gefreite blätterte in den Papieren und musterte den gutgekleideten Herrn, der vor ihm stand und verwundert um sich schaute.

„Woher kommen Sie?"

„Aus Mailand."

„Wohin wollen Sie?"

„Nach Frankfurt."

„Öffnen sie bitte den Kofferraum!"

Oskar tat wie geheissen.

„Den Koffer auch!"

Oskar gehorchte, und der Polizist begann im Inhalt zu wühlen. Er fand Kleider, Reiseutensilien, ein Paar Duschsandalen, ein Paar Schuhe, die letzte Ausgabe des italienischen *Penthouse* und eine Flasche Grappa der Marke *Nardini*, ebenfalls mit einem Preisetikett in Lire. Schliesslich ging er nach vorn und verständigte sich kurz mit seinem Kollegen, der soeben aus dem Auto stieg.

„In Ordnung", sagte er zu Oskar, während er ihm die Papiere zurückgab. „Sie können weiterfahren."

Zweihundert Meter nach der Sperre passierte Oskar problemlos den deutschen Zoll. Schon um drei Uhr nachmittags war er in Frankfurt. An einem Bankschalter besorgte er sich genug Kleingeld für ein Ferngespräch und betrat eine Telefonzelle. Er wählte die Nummer Lamberts, der sofort abnahm.

„Hören Sie gut zu", sagte Oskar. „Die Frauen sind . . . " Er nannte eine Adresse aus der näheren Umgebung Basels und fügte hinzu: „Es ist ein zweistöckiger Bau mit Flachdach, eine ehemalige mechanische Werkstatt. Haben Sie verstanden?"

„Ja, ja, verstanden." Lamberts Stimme klang rauh und zitterte.

„Und noch etwas, Lambert: Wenn Ihnen Ihre Familie lieb ist, vergessen Sie nie, was ich Ihnen gestern nacht gesagt habe! Vergessen Sie es nie!“

Oskar legte auf, ohne eine Antwort abzuwarten.

Arbeit am Skelett

Kriminalroman von Paul Lascaux
Fr. 12.– / DM 14.50

In einem Haus der Berner Altstadt werden Renovierungsarbeiten durchgeführt. Im Keller gräbt sich ein Team von Archäologen durch den Boden und findet dabei drei Skelette. Zuerst werden sie als spätmittelalterliche Bestattungen angesehen, bis das gerichtsmedizinische Institut meldet, eines davon liege erst seit wenigen Jahrzehnten in der Erde. Unter Ausschluss der Polizei beginnen nun Untersuchungen, die vor der öffentlichen Bekanntgabe des Fundes das Rätsel um die verstorbene Person lösen sollen.

„Der in Ich-Form und mit viel Sinn für Ironie geschriebene Roman bringt dem Leser neben einer gehörigen Portion Spannung und Unterhaltung auch die Stadt Bern in Vergangenheit und Gegenwart näher."

Beobachter

Tod nach Redaktionsschluss

Kriminalroman von Käthi Mühlemann
Fr. 16.– / DM 18.–

Käthi Mühlemanns erster Kriminalroman bringt dem Leser die Welt einer Lokalzeitung mit Witz und Ironie nahe. Oder besser: Die Autorin holt den Mief, die biedere und doch beklemmende Atmosphäre, die abgestandene Langeweile mühelos in ihre Sprache hinein. Es gelingt ihr, hinter der Fassade der täglich ausgetauschten Banalitäten das ständige Lauern von Ressentiments, Hass und Intrigen spürbar zu machen, die fast unmerklich, aber folgerichtig zum Verbrechen führen. Da braucht es keinen Fahnder, keinen Superdetektiv. Die Sprache allein entlarvt, dass ungelebtes Leben sich immer rächt und Opfer fordert.

orte-KRIMIreihe